COLLECTION FOLIO

David Foenkinos

Vers la beauté

Gallimard

David Foenkinos est l'auteur de plusieurs romans dont *Le potentiel érotique de ma femme*, *Nos séparations*, *Les souvenirs*, *Je vais mieux* et *Deux sœurs*. *La délicatesse*, paru en 2009, a obtenu dix prix littéraires. En 2011, David Foenkinos et son frère Stéphane l'ont adapté au cinéma, avec Audrey Tautou et François Damiens. Ils ont également réalisé le film *Jalouse*, avec Karin Viard. En 2014, *Charlotte* a été couronné par les prix Renaudot et Goncourt des lycéens. *Le mystère Henri Pick*, publié en 2016, a été porté à l'écran par Rémi Bezançon, avec Fabrice Luchini et Camille Cottin. Les romans de David Foenkinos sont traduits dans plus de quarante langues.

PREMIÈRE PARTIE

1

Le musée d'Orsay, à Paris, est une ancienne gare. Le passé dépose ainsi une trace insolite sur le présent. Entre les Manet et les Monet, on peut se laisser aller à imaginer les trains arrivant au milieu des tableaux. Ce sont d'autres voyages maintenant. Certains visiteurs ont peut-être aperçu Antoine Duris ce jour-là, immobile sur le parvis. Il paraît tombé du ciel, stupéfait d'être là. La stupéfaction, c'est bien le mot qui peut caractériser son sentiment à cet instant.

2

Antoine était arrivé très en avance à son rendez-vous avec la responsable des ressources humaines. Depuis quelques jours, son esprit entier était focalisé sur cet entretien. Ce musée, c'était là où il voulait être. Il se dirigea d'un pas calme vers l'entrée du personnel. Au téléphone, Mathilde Mattel lui avait bien précisé de ne pas emprunter le chemin des visiteurs. Un vigile l'arrêta :

« Vous avez un badge ?

— Non, je suis attendu.

— Par qui ?

— ...

— Par qui êtes-vous attendu ?

— Pardon... j'ai rendez-vous avec madame Mattel.

— Très bien. Je vous laisse vous diriger vers l'accueil.

— ... »

Quelques mètres plus tard, il répéta la raison de sa visite. Une jeune femme vérifia dans un grand carnet noir :

« Vous êtes monsieur Duris ?

— Oui.

— Puis-je vous demander une pièce d'identité ?

— ... »

C'était absurde. Qui voudrait se faire passer pour lui ? Il s'exécuta docilement, accompagnant son geste d'un sourire compréhensif pour masquer sa gêne. L'entretien d'embauche semblait avoir déjà débuté avec le vigile puis la standardiste. Il fallait être performant dès le premier bonjour, on ne tolérait plus le moindre merci approximatif. Après que la jeune femme eut vérifié qu'il était bien Antoine Duris, elle lui indiqua le chemin à suivre. Il fallait longer un couloir, au bout duquel il trouverait un ascenseur. « C'est facile, vous ne pouvez pas vous tromper », ajouta-t-elle. Antoine se doutait qu'avec ce genre de phrase, il se tromperait immanquablement.

Au milieu du couloir, il ne savait déjà plus vraiment ce qu'il devait faire. De l'autre côté de la baie vitrée, il aperçut un tableau de Gustave Courbet. La beauté demeure le meilleur recours contre l'incertitude. Depuis des semaines, il luttait pour ne pas sombrer. Il sentait qu'il avait peu de forces, et les deux interrogatoires qui s'étaient déjà enchaînés lui avaient demandé un effort considérable. Pourtant, il ne s'était agi que de prononcer quelques mots, de répondre à des questions ne comportant pas le moindre piège. Il était revenu à un stade primaire de la compréhension du monde, se laissant souvent envahir par des peurs irrationnelles. Il sentait chaque jour davantage les conséquences de ce qu'il avait vécu. Allait-il seulement être capable de passer cet entretien avec madame Mattel ?

Dans l'ascenseur qui le conduisait au deuxième étage, il jeta furtivement un œil au miroir et se trouva amaigri. Rien d'étonnant à cela, il mangeait moins, oubliant parfois de dîner ou de déjeuner. À sa décharge, son estomac ne se manifestait pas. Il pouvait sauter des repas sans ressentir le moindre gargouillement, comme si son corps se composait désormais de territoires anesthésiés. Seul son esprit le poussait à penser : « Antoine, tu dois manger. » Les humains dans la souffrance forment deux camps. Ceux qui résistent par le corps, et ceux qui résistent par l'esprit. C'est l'un ou l'autre, rarement les deux.

À sa sortie de l'ascenseur, une femme l'accueillit. Habituellement, Mathilde Mattel attendait ses rendez-vous dans son bureau, mais pour Antoine Duris, elle avait décidé de se déplacer. Elle devait être terriblement pressée d'en savoir davantage sur ses motivations.

« Vous êtes Antoine Duris ? s'enquit-elle tout de même pour être sûre.

— Oui. Vous voulez ma carte d'identité ?

— Non, non. Pourquoi ?

— On me l'a demandée en bas.

— C'est l'état d'urgence. C'est comme ça.

— Je ne vois pas très bien qui pourrait fomenter un acte terroriste contre la DRH du musée d'Orsay.

— On ne sait jamais », répondit-elle en souriant.

Ce qui avait pu passer pour un trait d'esprit, ou même de l'humour, était pourtant un froid constat de la part d'Antoine. Elle fit un geste de la main pour indiquer la direction de son bureau. Ils s'engouffrèrent alors dans un long couloir étroit, où ils ne croisèrent personne. Tout en la suivant, il songea que cette femme devait bien s'ennuyer dans la vie pour recevoir de potentiels futurs employés à une heure où le reste du personnel ne semblait pas être arrivé. Il ne fallait pas chercher la moindre logique au sein de la logistique des pensées d'Antoine.

Une fois dans son bureau, Mathilde proposa du thé, du café, de l'eau, ce qu'il voulait à vrai dire, mais Antoine préféra dire non merci, non merci, non merci. Alors, elle commença :

« Je dois vous dire que j'ai été très surprise en recevant votre CV.

— Pourquoi ?

— Pourquoi ? Vous me demandez pourquoi ? Vous êtes maître de conférences...

— ...

— Vous avez même une certaine renommée. Je suis déjà tombée sur l'un de vos articles, il me semble. Et vous postulez... pour être gardien de salle.

— Oui.

— Cela ne vous paraît pas étrange ?

— Pas spécialement.

— Je me suis permis d'appeler l'ENSBA[1], avoua Mathilde après un temps.

— ...

— On m'a confirmé que vous aviez décidé de quitter votre emploi. Du jour au lendemain, comme ça, sans la moindre raison.

— ...

— Vous en aviez marre d'enseigner ?

— ...

— Vous avez fait... comme une dépression ? Je peux comprendre. Le burn-out, c'est de plus en plus fréquent.

1. L'École nationale supérieure des beaux-arts de Lyon.

— Non. Non. Je voulais arrêter. C'est comme ça. J'y retournerai sûrement plus tard, mais…

— Mais quoi ?

— Écoutez, madame, j'ai postulé à un emploi et je voudrais savoir si j'ai des chances de l'avoir.

— Vous ne vous sentez pas trop qualifié ?

— J'aime l'art. Je l'ai étudié, je l'ai enseigné, d'accord, mais j'ai simplement envie maintenant d'être assis dans une salle au milieu des tableaux.

— Ce n'est pas un métier reposant. On vous pose des questions tout le temps. Et puis ici, à Orsay, il y a beaucoup de touristes. Il faut toujours être vigilant.

— Prenez-moi à l'essai, si vous avez des doutes.

— J'ai besoin de monde, car nous commençons la semaine prochaine une grande rétrospective Modigliani. Ça va attirer les foules. C'est un tel événement.

— Ça tombe bien.

— Pourquoi ?

— J'ai écrit ma thèse sur lui. »

Mathilde ne répondit rien. Antoine avait pensé que cette révélation jouerait en sa faveur. Bien au contraire, elle semblait accentuer aux yeux de la DRH l'étrangeté de sa démarche. Que venait faire ici un érudit comme lui ? Pouvait-il lui dire la vérité ? Il était comme une bête apeurée, et seule l'idée de se réfugier dans un musée lui semblait pouvoir le sauver.

3

En moins d'une journée, il avait résilié tous ses abonnements, et rendu les clés de son appartement. Son propriétaire lui avait dit : « Il y a deux mois de préavis, monsieur Duris... On ne peut pas partir comme ça. Je dois me retourner, moi. » L'homme avait enchaîné quelques phrases sur le ton de la désolation excessive. Antoine avait coupé son monologue : « Ne vous inquiétez pas. Je vous paierai les deux mois. » Il avait loué une camionnette dans laquelle il avait chargé tous ses cartons. Principalement des cartons de livres. Il avait lu un article sur des Japonais qui quittaient leur vie ainsi, du jour au lendemain. On les appelait des *évaporés*. Ce mot magnifique cachait presque la tragédie de la situation. Il s'agissait souvent d'hommes ayant perdu leur travail, et ne pouvant pas assumer leur déchéance sociale dans une société basée sur l'apparence. Plutôt fuir et devenir clochard que d'affronter le regard d'une femme, d'une famille, de voisins. Cela n'avait rien à voir avec la situation d'Antoine, qui était au sommet de sa carrière, enseignant émérite et respecté. Chaque année, des dizaines d'étudiants et d'étudiantes rêvaient de travailler leur mémoire avec lui. Alors quoi ? Il y avait bien eu cette rupture avec Louise, mais les mois avaient cicatrisé cette blessure sentimentale. Et puis, cela arrivait à tout le monde de souffrir en amour. On ne quittait pas sa vie pour autant.

Il avait placé tous ses cartons, et les quelques meubles qu'il possédait, dans un box à Lyon. Et il avait pris le train pour Paris, avec une simple valise. Les premiers soirs, il avait dormi dans un hôtel deux étoiles près de la gare, avant de trouver un studio à louer dans un quartier populaire de la capitale. Il n'avait pas mis son nom sur la boîte aux lettres, et n'avait souscrit aucun abonnement. Le gaz et l'électricité étaient au nom du propriétaire. Plus personne ne pouvait le retrouver. Évidemment, ses proches s'étaient inquiétés. Pour les rassurer, ou plutôt pour qu'ils le laissent en paix, il avait envoyé un message collectif :

Chers tous,

Je suis profondément désolé de l'inquiétude que j'ai pu vous causer. Les derniers jours ont été si actifs que je n'ai pas pu répondre à vos messages. Rassurez-vous, tout va bien. J'ai décidé subitement de partir pour un long voyage. Vous savez que je rêve d'écrire un roman depuis longtemps, alors voilà, je prends une année sabbatique et je m'en vais. Je sais que j'aurais pu faire une fête de départ, mais tout est allé très vite. Pour mon projet, ne m'en veuillez pas, je vais me couper du monde. Je n'aurai plus de téléphone. Je vous enverrai parfois des mails.

Je vous aime,

ANTOINE

Il reçut des réponses admiratives de la part de certains, d'autres le jugèrent un peu fou. Mais au fond, il était célibataire, sans enfants, c'était peut-être le moment d'accéder à son rêve. Beaucoup de ses amis finirent par le comprendre. Il lut leurs réponses, sans donner suite. Seule sa sœur ne crut pas à ce message. Eléonore était trop proche de lui pour admettre qu'il ait pu partir ainsi, sans même dîner avec elle une dernière fois. Sans même passer embrasser sa nièce avec qui il adorait jouer. Quelque chose n'était pas logique. Elle le harcela de messages : « Je t'en prie. Dis-moi où tu es. Dis-moi ce qui ne va pas. Je suis ta sœur, je suis là, s'il te plaît ne me laisse pas comme ça. Ne me laisse pas dans le silence… » Rien à faire. Aucune réponse. Elle tenta tout, changea de ton : « Tu ne peux pas me faire ça. C'est dégueulasse. Je n'y crois pas, à ton histoire de roman ! » Elle multipliait les messages. Antoine n'allumait plus son téléphone. Une seule fois, il le fit et lut les innombrables complaintes de sa sœur. Il n'avait que quelques mots à écrire, au moins pour la rassurer. Pour lui parler. Pourquoi n'y parvenait-il pas ? Il resta bloqué devant l'écran pendant plus d'une heure. C'était impossible. Une sorte de honte se mit à l'envahir. Une honte qui vous empêche d'agir.

Finalement, il réussit à lui répondre : « J'ai besoin de ce moment pour moi. Je te donnerai des nouvelles bientôt, mais arrête de t'inquiéter. Embrasse bien Joséphine. Ton frère, Antoine. » Il éteignit aussitôt son téléphone de peur qu'elle ne l'appelle dès la lecture du message. Comme un criminel craignant d'être repéré, il décida de retirer la carte SIM, et la rangea dans un tiroir. Plus personne ne pourrait avoir accès à lui. Eléonore fut soulagée de lire ce message. Elle comprit immédiatement que tout était faux, et que cela avait dû lui demander un effort considérable pour rédiger ces quelques mots polis. Cela ne changeait rien à son inquiétude. À l'évidence, il allait mal. Elle avait été surprise qu'il signe « Ton frère, Antoine ». C'était la première fois qu'il utilisait cette formule, comme s'il voulait redéfinir leur lien pour en être sûr. Elle ignorait ce qu'il vivait, et pourquoi il agissait ainsi, mais elle savait qu'elle ne l'abandonnerait pas. Loin de l'apaiser, ce message la confortait dans l'idée qu'elle devait le retrouver le plus vite possible. Il lui faudrait du temps et de l'énergie, mais elle y parviendrait d'une manière inattendue.

4

En sortant de chez lui, Antoine croisa un voisin. Un homme sans âge, perdu entre quarante et soixante ans. Ce dernier le dévisagea avant de demander : « Vous êtes nouveau ici ? Vous avez remplacé Thibault ? » Antoine balbutia que oui, puis annonça qu'il était très pressé pour empêcher toute relance interrogative. Fallait-il qu'on nous demande sans cesse qui nous étions, ce que nous faisions, pourquoi nous vivions ici et pas ailleurs ? Depuis qu'il avait fui, Antoine se rendait compte que la vie sociale ne s'arrête jamais, et qu'il devenait quasiment impossible de passer entre les gouttes humaines.

Au moins, à son travail, personne ne le remarquerait. Le gardien de musée n'existe pas. On déambule devant lui, les yeux rivés sur le prochain tableau. C'est un métier extraordinaire pour être seul au milieu d'une foule. Mathilde Mattel lui avait annoncé, dès la fin de leur entretien, qu'il commencerait le lundi suivant. Sur le seuil de son bureau, elle avait ajouté : « Je ne comprends toujours pas vos raisons, mais après tout, on peut estimer que c'est une chance pour nous de vous avoir dans la maison. » Son ton avait été si chaleureux. Pour Antoine, coupé du monde, elle avait été la seule personne avec qui il avait eu une véritable conversation depuis plus d'une semaine. Le nom de cette femme avait pris du coup une importance démesurée. Les jours suivants, il avait pensé à elle plusieurs fois, comme on se focalise dans la nuit sur un point lumineux. Était-elle mariée ? Avait-elle des enfants ? Comment devient-on DRH du musée d'Orsay ? Aimait-elle les films de Pasolini, les livres de Gogol, les *Impromptus* de Schubert ? En se laissant dériver vers ce désir de savoir, Antoine dut admettre qu'il n'était pas mort. La curiosité délimite le monde des vivants et celui des ombres.

Antoine était assis sur sa chaise, dans son costume couleur discrétion. On l'avait affecté à l'une des salles consacrées à l'exposition Modigliani. Juste en face d'un portrait de Jeanne Hébuterne. Quel étrange hasard. Lui qui connaissait si bien la vie de cette femme, son destin tragique. La foule était si dense en ce premier jour qu'il ne parvenait pas à observer tranquillement le tableau. On se ruait pour voir cette rétrospective. Qu'en aurait pensé le peintre ? Antoine avait toujours été fasciné par ces vies réussies après coup. La gloire, la reconnaissance, l'argent, tout cela arrive, mais trop tard ; on récompense un tas d'os. Cela paraît presque pervers, cette excitation posthume, quand on connaît la vie de souffrances et d'humiliations du peintre. Voudrions-nous vivre notre plus belle histoire d'amour à titre posthume ? Et Jeanne... oui, la pauvre Jeanne. Pouvait-elle imaginer qu'on se presserait pour voir son visage enfermé à jamais dans un cadre ? Enfin, la voir, l'entrapercevoir plutôt. Antoine ne comprenait pas vraiment l'intérêt de contempler des tableaux dans de telles conditions. Bien sûr, c'est une chance d'accéder ainsi à la beauté, mais quel était le sens de cette observation au milieu d'une foule, en étant pressé et oppressé, et parasité par les commentaires des autres spectateurs ? Il essayait d'écouter tout ce qui se disait. Certains propos étaient lumineux, des hommes et des femmes réellement bouleversés de découvrir *en vrai* ces Modigliani ; et d'autres calamiteux. De sa position assise, il allait parcourir l'étendue de la sociologie humaine. Certains ne disaient pas « J'ai visité le musée d'Orsay » mais « J'ai fait Orsay », un verbe qui trahit une sorte de nécessité sociale ; pratiquement une liste de courses. Ces touristes n'hésitaient pas à employer la même expression pour les pays : « J'ai fait le Japon l'été dernier... » Ainsi, on fait les lieux maintenant. Et quand on va à Cracovie, on fait Auschwitz.

Les pensées d'Antoine étaient sans doute acerbes, mais au moins il pensait ; cela le changeait de cette zone léthargique dans laquelle il végétait depuis quelque temps. Grâce à cette foule incessante, il s'échappait de lui-même. Les heures avaient défilé à une allure folle, à l'opposé des derniers jours où chaque minute s'était habillée d'un vêtement d'éternité. Étudiant aux Beaux-Arts, puis enseignant, il avait passé sa vie dans les musées. Ici même, à Orsay, il se souvenait d'après-midi entiers à arpenter les salles. Jamais il n'aurait imaginé revenir des années plus tard en tant que gardien. Cela lui donnait une tout autre vision du fonctionnement d'un musée. Son errance actuelle lui permettrait sûrement d'enrichir sa compréhension du monde de l'art. Mais était-ce important ? Allait-il seulement un jour retourner à Lyon et reprendre sa vie ? Rien n'était moins sûr.

Alors qu'il dérivait vers des incertitudes existentielles, un collègue s'approcha de lui. Alain, tel était son prénom, gardait l'autre côté de la salle. Plusieurs fois dans la journée, il lui avait lancé de petits signes amicaux. Antoine avait répondu par l'activation d'un rictus minimal. On se soutenait entre passagers du même travail.

« Quelle journée, hein ? C'est fou…, commença-t-il en soufflant.

— Oui.

— Suis content de faire ma pause.

— …

— Vraiment, je te dis ce que je pense. Je suis arrivé ce matin, je me suis dit, il n'y aura pas grand monde pour venir voir ça. Je ne le connaissais pas, Modigliani. Franchement, chapeau le mec.

— …

— Ça te dirait d'aller boire une bière, après le boulot ? On est rincés, ça nous fera du bien.

— … »

C'était le prototype de l'impasse sociale. Dire non, c'était passer pour quelqu'un de désagréable. On remarquerait Antoine, on parlerait de lui, on le jugerait. Il voulait à tout prix éviter de faire des vagues. Le paradoxe était insupportable, mais, pour se faire oublier, le mieux était encore de se mêler aux autres. La seule échappatoire aurait été l'invention immédiate d'une excuse : un rendez-vous important ou une famille à retrouver chez soi. Mais cela requérait une certaine réactivité, un art instinctif de l'esquive. Tout ce dont n'était plus doté Antoine. Plus on mettait de temps à répondre, moins on pouvait fuir. Alors qu'il ne rêvait que de rentrer chez lui, il finit par dire : « Très bonne idée. »

Deux heures plus tard, les deux hommes se retrouvaient au comptoir d'un bar. Antoine buvait une bière avec un parfait inconnu. Rien ne lui paraissait naturel ; même le goût de la bière dans sa gorge était étrange[1]. L'homme parlait sans cesse, ce qui était le bon côté de la situation présente. Antoine n'avait pas à prendre en charge le moindre sujet de conversation. Il observait le visage de son interlocuteur, et cela l'empêchait de saisir l'intégralité de ses propos. Certaines personnes ont du mal à regarder et écouter en même temps ; Antoine faisait partie de cette catégorie. Alain était si massif qu'on l'aurait dit extirpé d'un bloc de pierre. Malgré son côté bourru, ses gestes n'étaient pas brusques ; on pouvait même dire qu'ils étaient plutôt délicats. On sentait un homme qui cherchait à s'affiner, mais il lui manquait ce que les gens appellent communément *du charme*. Sans être disgracieux, son visage ressemblait à un roman dont on n'a pas envie de tourner les pages.

« Tu as l'air différent des autres, annonça-t-il au bout d'un moment.

— Ah bon ? répondit Antoine, légèrement inquiet à l'idée qu'on puisse le distinguer de la masse.

— Tu as un air absent. Tu es là sans être là.

— …

1. On aurait dit comme une autre boisson qui se faisait passer pour de la bière ; une sorte d'imposture liquide.

— Je t'ai regardé plusieurs fois aujourd'hui, et j'ai vu que tu mettais toujours du temps à réagir à mes petits signes.

— Ah…

— Tu dois être très rêveur, c'est tout. Remarque, il n'y a pas de critères pour faire ce métier. C'est ça qui est bien. Il y a de tout. Des étudiants en art, des artistes, mais aussi des employés qui s'en foutent, de la peinture. Ce sont des fonctionnaires de la chaise. Moi, j'en fais un peu partie. Avant j'étais gardien de nuit dans un garage. Voir des voitures passer, je n'en pouvais plus. L'avantage avec les tableaux, c'est que ça ne bouge pas.

— … »

À cet instant, Alain se lança dans un long monologue, le genre de monologue qui dure peut-être encore maintenant. On le sentait désireux de rattraper une journée passée assis en silence. Il se mit à évoquer sa femme, Odette ou Henriette, Antoine n'avait pas réussi à saisir le prénom au passage. Depuis qu'il travaillait à Orsay, Alain sentait bien qu'elle était plus admirative. Cela le rendait heureux. Il avait ajouté : « Finalement, on cherche sans cesse la considération de celle qu'on aime… » Son ton s'était subitement teinté d'un soupçon de mélancolie. Une poésie se cachait peut-être dans les interstices de ce physique abrupt. À cet instant, Antoine décrocha complètement, soudain accaparé par un sentiment paranoïaque. Pourquoi cet homme l'avait-il observé plusieurs fois dans la journée ? Que lui voulait-il ? Peut-être n'était-il pas venu le voir par hasard. Il avait une idée derrière la tête. Antoine se doutait qu'on cherchait à le retrouver. Non, non, c'était une hypothèse absurde. Alain travaillait au musée avant lui. Ce n'était pas plausible. Mais tout de même, il avait insisté pour qu'ils aillent boire un verre. Antoine se sentait perdre pied. Il mettait en doute chaque instant réel, jusqu'au plus anodin.

Il voulait partir maintenant, interrompre brutalement le moment. Mais c'était impossible ; toujours cette absurdité de devoir se montrer suffisamment sociable pour ne pas se faire remarquer. Alors qu'une peur incontrôlable l'assaillait, il tentait de sourire ici ou là, et cela tombait à des moments qui ne collaient pas du tout avec les propos d'Alain. Au bout d'un certain temps, ce dernier finit par le démasquer :

« Excuse-moi, je t'ennuie avec mes histoires. Je vois bien que tu n'écoutes pas.

— Ah non… tu ne m'ennuies pas du tout.

— Si tu veux, je peux te raconter des choses plus drôles.

— …

— Tu sais ce qu'on a demandé un jour à un collègue du Louvre ?

— Non.

— Où est *La Joconde* de Leonardo DiCaprio ?

— …

— *La Joconde*… de DiCaprio ! Il y a de sacrés phénomènes tout de même. C'est drôle, non ?

— Oui… », acquiesça Antoine d'une voix sinistre.

Ils se quittèrent peu après. En rentrant chez lui, Antoine fut effrayé à l'idée que cette petite sortie ne devienne le début d'un engrenage. Il avait accepté par souci de discrétion, mais cela ne s'arrêterait jamais. À l'évidence, Alain était du genre à organiser des dîners chez lui pour présenter sa femme. Et forcément viendrait un moment où on lui poserait des questions, trop de questions. Il s'enfonçait dans une terrible impasse. Il fallait tout de suite inventer quelque chose, peut-être une maladie grave, ou un parent au bord de la mort, en tout cas il était nécessaire de penser à des excuses en amont. On ne pouvait pas improviser comme ça l'esquive des autres.

5

Le lendemain matin, Antoine arriva un peu en avance. Il patienta devant les portiques de sécurité jusqu'à l'arrivée des vigiles. Aller au musée, c'est comme prendre l'avion. Il déposa ses clés dans une petite bassine de plastique, et passa sous la porte métallique sans provoquer de sonnerie. Il en ressentit un certain soulagement, mais le vigile demanda :

« Et votre téléphone ? Il est où ?

— Je n'en ai pas. »

L'homme dévisagea Antoine, l'air suspicieux. Comment était-ce possible ? Ne pas avoir de téléphone... Décidément, les gardiens de salle étaient bizarres ; ils vivaient avec le passé sans se rendre compte que le monde évoluait. Il raconta aussitôt l'anecdote à son collègue qui commenta : « Ça ne m'étonne pas. Ce guide a vraiment la tête d'un type que personne n'appelle ! » Ils ricanèrent de cette réplique, et de l'idée tellement saugrenue de ne pas avoir envie d'être joignable.

Antoine se dit qu'il lui faudrait désormais prendre son téléphone, même désactivé. C'était préférable pour passer inaperçu. Il progressait dans l'art de l'invisibilité. Arrivé dans sa salle, il se retrouva seul. Un moment de répit avant l'invasion. Il s'approcha du portrait de Jeanne Hébuterne. Quel privilège d'être en tête-à-tête avec un chef-d'œuvre de la peinture. Bouleversé, il chuchota quelques mots. Il n'entendit pas Mathilde Mattel s'avancer. Elle resta d'ailleurs un instant à observer cet employé figé devant un cadre ; une contagion de l'immobilité. Elle finit par demander doucement :

« Vous parlez au tableau ?

— Non... pas du tout, balbutia-t-il en se retournant.

— Vous faites ce que vous voulez avec votre vie privée. Cela ne me regarde pas, dit-elle en souriant.

— ...

— Je voulais savoir comment s'était passée votre première journée.

— Très bien, je crois.

— Cette semaine va être intense, et puis ça va se calmer un peu, après. On a battu un record de fréquentation hier. Vous nous portez chance.

— …

— Ce n'est pas facile de parler avec vous. Vous laissez des blancs tout le temps.

— Pardon. Je ne sais pas quoi répondre.

— Bon, je vous souhaite une bonne journée.

— Merci. À vous aussi… », répondit Antoine, mais elle n'était déjà plus là pour l'entendre. Elle marchait si vite, ou alors c'était lui qui mettait beaucoup trop de temps à réagir.

Cette femme n'avait pas tort. Il lui fallait se montrer un peu plus réactif. Elle était bienveillante, elle venait prendre de ses nouvelles, et il restait là, suspendu dans le vide. Mais il lui paraissait impossible d'aller plus vite. Il vivait ce qu'on pourrait appeler *une rééducation sociale.* Ce n'était pas un genou défectueux ou une jambe cassée qui le parasitaient mais comme une fracture de la repartie. Quand on lui parlait, il était incapable de répondre. Les mots mettaient du temps à se former dans son esprit, hésitants et maladroits, incertains et chétifs, et cela aboutissait à des phrases quasi inaudibles ou carrément à des blancs. Lui qui auparavant parlait pendant des heures devant ses élèves traversait une convalescence de la parole. Lui qui avait l'habitude de se tenir debout devant une foule absorbant ses récits ressentait à présent chaque mot à prononcer comme une épreuve insurmontable. Serait-il capable d'expliquer un jour à ses proches ce qu'il éprouvait ? Il n'avait aucune idée de la temporalité de sa rémission. C'était toujours un temps autonome, soumis ni à l'envie ni à la volonté. Le corps dominait seul son royaume, celui des émotions et de la durée des chagrins.

La journée se déroula à un rythme identique à celui de la veille. Son rôle consistait essentiellement à veiller à ce que les visiteurs ne s'approchent pas trop des toiles. Il y avait eu cette histoire d'un lycéen qui avait renversé son Coca sur une œuvre dans un musée aux États-Unis, et cela allait coûter des millions de dollars aux assurances. Il fallait anticiper, être vigilant. La plupart des touristes ne s'adressaient pas à lui, sauf pour demander les toilettes. Des dizaines de fois, parfois même sans attendre qu'on lui pose la question, il indiquait le chemin : « Les toilettes se situent à l'entrée principale. » Une phrase qu'il prononçait souvent en anglais, et bientôt il l'apprendrait dans de nombreuses langues pour être un bon employé. C'était la préoccupation principale d'Antoine : bien faire son travail. Quiconque d'un tant soit peu dépressif connaît cet état où l'esprit se focalise d'une manière démesurée sur une tâche concrète. On peut panser une plaie psychique par la répétition d'un geste mécanique, comme si le simple fait d'agir, y compris de façon dérisoire, permettait de réintégrer la sphère des humains utiles.

Antoine avait décidé, sans en demander la permission, de déplacer légèrement sa chaise pour observer à son aise le visage de Jeanne Hébuterne. Malgré la foule, il parvenait ainsi à la contempler plusieurs heures par jour. Il aimait lui parler et imaginait qu'un lien se tissait entre eux. La nuit, elle revenait parfois dans ses songes, comme pour le dévisager à son tour. Cela formait, d'une certaine façon, une conversation de regards. Antoine se demandait si ce n'était pas trop triste d'être enfermée ainsi dans un cadre. Après tout certains croient en la réincarnation ou en la métempsycose ; serait-il si incongru qu'un tableau puisse porter en lui les vibrations de la personne peinte ? C'était forcément une partie de Jeanne qui était là.

Les historiens ont beaucoup parlé de sa beauté, de ce visage qui bouleversa Modigliani. Lui qui avait l'habitude de peindre de jolies filles, souvent dénudées, fut transpercé par cette grâce inédite. Elle fut sa muse, la femme de sa vie, celle qu'il ne peignit jamais nue. Jeanne avait l'allure d'un grand cygne éthéré, une langueur perceptible dans le regard, une incommensurable mélancolie. De plus en plus, au fil des jours, Antoine serait happé par la force de ce tableau. Jeanne lui faisait survoler les heures. Il continuait parfois à lui parler, comme à une confidente. Cela lui faisait du bien. Chacun cherche son propre chemin vers la consolation. Peut-on se soigner en se confiant à un tableau ? On parle bien d'art-thérapie, de créer pour exprimer son malaise, pour se comprendre à travers les intuitions de l'inspiration. Mais c'était différent. Pour Antoine, la contemplation de la beauté était un pansement sur la laideur. Il en avait toujours été ainsi. Quand il se sentait mal, il allait se promener dans un musée. Le merveilleux demeurait la meilleure arme contre la fragilité.

6

En anglais :

Toilets are located at the main entrance.

*

En allemand :

Die Toiletten sind am Haupteingang.

*

En espagnol :

Los baños se encuentran en la entrada principal.

*

En chinois :

洗手间位于正门旁

*

En japonais :

トイレはメインの入り口の近くにございます。

*

En russe :

Туалеты расположены у главного входа.

*

En italien :

Il bagno si trova presso l'ingresso principale.

*

En arabe :

يوجد مرحاض بالقرب من المدخل الريسي

7

Quelques jours plus tard, un événement vint modifier un peu le cours des choses. Un guide plutôt grand et plutôt maigre, qui selon son badge s'appelait « Fabien », narrait la vie de Modigliani. Ce n'était pas la première fois qu'Antoine voyait ce garçon sans grande consistance mais qui semblait faire son travail avec une réelle conscience professionnelle. Il accompagnait en général des groupes d'une dizaine de personnes, la plupart du temps des femmes âgées, membres des Amis du musée. Leur abonnement donnait probablement droit à une visite guidée ; et elles semblaient heureuses de retrouver Fabien qui, auprès de cet auditoire conquis par avance, possédait une aura du simple fait qu'il était un jeune homme.

Antoine connaissait pléthore de Fabien ; il était le prototype de l'élève aux Beaux-Arts qui gagnait un peu d'argent de poche en faisant le guide. À vrai dire, Antoine se trompait. Fabien avait déjà trente ans et une réelle compétence de guide. Ce métier n'était pas pour lui un à-côté de la vie d'étudiant. La perception d'Antoine des hommes et des femmes qu'il croisait se faisait de plus en plus inexacte. Mieux valait se concentrer sur les faits : le guide déroulait les éléments biographiques du peintre. Il s'était attardé sur son enfance parasitée par la maladie, mais ses relations pourtant si complexes avec Picasso avaient été expédiées en quelques phrases. Son rapport aux femmes était à présent un peu plus détaillé, comme si Fabien prenait plaisir à s'imaginer lui aussi peignant des jeunes filles nues. Enfin, il raconta l'agonie de l'artiste. À cette heure encore matinale, le musée recevait peu de visiteurs. Antoine n'avait pas à maintenir une vigilance serrée sur toute sa zone, alors il écoutait :

« On lui a fait une piqûre pour calmer la douleur, mais il est mort quelques heures après. Cela a été un grand choc pour tout le milieu artistique. Plus de mille personnes ont assisté aux funérailles de Modigliani.

— Ah oui, quand même, dit une vieille dame sur un ton presque rêveur.

— Et puis, tout le monde parlait de la tragédie, bien sûr. Jeanne Hébuterne s'est suicidée dès qu'elle a appris la mort de son mari. Elle s'est jetée du cinquième étage, alors qu'elle était enceinte de leur deuxième enfant…

— Oh, c'est terrible… », firent plusieurs personnes en un chœur compassionnel.

Antoine se dirigea vers le groupe, puis resta un instant sans bouger. On le fixa. Il finit par intervenir :

« Pardon de vous déranger… mais à vrai dire, Jeanne ne s'est pas suicidée dès qu'elle a appris la mort de Modigliani. Elle s'est tuée une journée plus tard. Le temps de faire d'abord quelque chose de magnifique.

— Ah bon ? Qu'a-t-elle fait ? demanda l'une des femmes.

— Elle est allée se recueillir sur sa dépouille, puis s'est coupé une mèche de cheveux, qu'elle a déposée sur son torse…

— C'est très beau, effectivement », dit une dame émerveillée en pensant à ce geste ultime.

Légèrement en retrait, Fabien paraissait profondément choqué par l'intrusion subite d'un gardien de salle dans son royaume. Alors que plusieurs membres de son groupe avaient trouvé *tout à fait charmant* qu'un gardien vienne ainsi partager ses connaissances, Fabien avait vécu l'événement comme une remise en cause de son travail. Il remercia Antoine pour sa contribution tout en le fusillant du regard et continua sa visite vers la salle suivante.

Antoine retourna à sa chaise, et oublia rapidement l'incident. Il avait été mû par une pulsion, cette énergie qui nous pousse parfois à agir à l'encontre de ce que nous sommes. Lui, devenu timoré social, s'était exprimé devant ce groupe avec aisance. Mais ce fut une courte parenthèse. Il reprit possession de sa nature malheureuse, et la journée se déroula comme toutes les autres. Depuis l'autre côté de la salle, Alain lui lança quelques regards bizarres. Sans doute désapprouvait-il son comportement ? La vérité était tout autre. Odette ou Henriette, sa femme, avait décidé de le quitter. Elle le lui avait annoncé presque froidement deux jours auparavant. Juste avant de s'endormir, elle avait dit : « Alain, il faut que je te parle. » Ce n'est jamais bon signe, dans un couple, d'avoir à dire qu'on doit se parler. Mais il ne perçut pas immédiatement le danger ; il connaissait la propension de sa femme à analyser ceci ou cela, une vraie princesse du débriefing, et savait parfaitement que, dans ces moments-là, il valait mieux renoncer à toute activité et écouter. Pourtant, cette fois, son regard était différent. Et c'est en lisant dans ses yeux, une bombe émotionnelle cachée au fond de l'iris, qu'il entendit le pire avant même qu'elle ne prononce le premier mot. Elle finit par avouer la liaison qu'elle entretenait avec l'un des anciens collègues d'Alain, un dénommé Bertrand Devasseur qui était le cogérant du parking. Elle comptait partir vivre avec lui à Dijon, où on lui proposait une promotion importante. Alain n'avait pas même eu la force de répondre et s'était effondré en silence. Il ne parlerait à personne du monde dévasté qu'il portait dorénavant en lui.

8

Le soir même, Antoine était convoqué chez Mathilde Mattel. Avait-il commis une erreur ? Quelqu'un des Beaux-Arts de Lyon avait-il transmis une information ? En suivant le couloir interminable, il sentit des gouttes de sueur perler sur ses tempes. À vrai dire, pourtant, il ne transpirait pas. C'était simplement une sensation qui paraissait incroyablement réelle.

Il arriva enfin devant le bureau, frappa doucement. Elle lui intima d'entrer. Son ton fut nettement plus froid qu'à l'habitude :

« Asseyez-vous.

— …

— Bon, je ne vais pas tergiverser. Monsieur Frassieux a demandé votre tête.

— Qui ça ?

— Un de nos guides. Fabien Frassieux. Celui qui s'occupe des Amis du musée d'Orsay. Il m'a dit que vous l'aviez interrompu pendant son travail. Il a vécu cela comme une humiliation devant son groupe.

— …

— Est-ce que c'est vrai ?

— Mais… pas du tout…

— Êtes-vous intervenu, oui ou non ?

— Oui. Très rapidement. Pour préciser un point chronologique…

— Vous auriez pu le lui dire à part, pas devant tout le monde.

— Je n'ai pas pensé que ce serait mal.

— Vous n'avez pas pensé que ce serait mal ! répéta Mathilde, élevant la voix. Mais vous n'êtes pas croyable ! Imaginez un instant que vous soyez en train de donner un cours dans un amphi ou une salle de classe et que quelqu'un entre, et vous interrompe pour expliquer aux élèves un élément que vous auriez pu oublier… Cela vous aurait fait plaisir ?

— Non… c'est vrai, admit Antoine.

— Alors voilà. Fabien l'a très mal pris. La situation est donc compliquée. Il ne veut plus vous voir. Et il est très apprécié de tous nos groupes. C'est un élément essentiel. Il en a parlé à la direction, et bien sûr, tout le monde le soutient. Je suis très ennuyée… car je vous ai choisi…

— …

— C'est ma faute. Je n'aurais jamais dû

embaucher quelqu'un qui a fait une thèse sur Modigliani.

— Je suis désolé. Je vais m'excuser.

— En effet, c'est impératif. Nous verrons si cela suffit à le calmer, mais je ne vous garantis rien.

— ... »

Devant la mine dépitée d'Antoine, Mathilde ajouta, moins vindicative : « Vous êtes... vous êtes vraiment particulier... » Antoine n'en revenait pas d'avoir été si maladroit. Elle avait raison : il n'aurait pas du tout aimé subir le même affront. Il comprenait parfaitement la réaction du guide. Mais que ferait-il s'il ne pouvait pas rester au musée ? Trouver une autre place ? Ce serait la même histoire. On lui demanderait pourquoi il avait quitté les Beaux-Arts de Lyon. Il ne voulait plus se justifier. Il avait eu tort, finalement, de se réfugier dans un milieu aussi proche du sien. Il aurait dû se faire embaucher comme garçon de café, ou veilleur de nuit dans un hôtel. Il se laissait aller à un monologue intérieur. Mathilde l'observait en silence. Combien de temps allait-il rester ainsi, sans rien dire ? Depuis qu'elle travaillait à Orsay, elle avait été confrontée à de sacrés spécimens, mais avec Antoine elle n'avait aucun repère. Chacune de ses attitudes respirait l'inédit.

Au fond d'elle-même, Mathilde s'amusait de la situation. Un gardien de salle qui intervient lors d'une visite guidée, c'est plutôt risible. En tout cas, c'était une maladresse qui ne méritait pas un licenciement. Elle intercéderait auprès de Fabien pour soutenir le gardien aux pulsions érudites. Était-ce seulement là la réaction d'une DRH face à un conflit professionnel ? Peut-être pas. Elle ne voulait pas qu'il parte. Elle appréciait sa singularité ; elle adorait le voir parler aux tableaux le matin. Depuis leur première rencontre, elle était comme troublée. Il y avait si longtemps pourtant qu'elle n'éprouvait plus rien. Des hommes élégants ou intelligents la laissaient de marbre. Elle avait cru que son *goût des autres* s'était cassé. Il y avait de quoi être déstabilisée. Elle le jugeait imprévisible, mais pas d'une manière violente ou brutale ; son imprévisibilité était douce. On ne savait pas, avec lui, ce qui allait se passer. Et ce n'était que le début.

Ils quittèrent le bureau ensemble. Le couloir menant à l'ascenseur parut à Antoine nettement plus court qu'à l'aller. Le musée était fermé à présent. À part les vigiles de nuit, ils ne croisèrent personne. Au lieu d'aller vers la sortie, Mathilde guida Antoine vers une salle. Elle voulait lui montrer quelque chose. Ils passèrent devant une grande baie vitrée. Dans la nuit, on pouvait voir la Seine, les Bateaux-Mouches, et un peu plus loin la grande roue illuminée, place de la Concorde. C'était un point d'observation de la ville absolument magique. Antoine eut l'impression que c'était la première fois qu'il regardait vraiment Paris depuis qu'il était revenu y vivre.

Dans une salle plongée dans la pénombre, Mathilde s'arrêta devant la photographie d'une jeune fille :

« Moi aussi, ça peut m'arriver de parler à une œuvre. Je viens ici parfois le soir… juste pour voir *Maud*. Son prénom, c'est tout ce que je sais d'elle.

— … »

Antoine s'approcha du modèle, dont le visage était perdu dans les fleurs. Il lut le nom de la photographe, qu'il ne connaissait pas : Julia Margaret Cameron (1815-1879). Mathilde reprit : « Je lui invente des vies. J'essaye de l'imaginer. Au fond, ça sert sûrement à ça, la photographie. C'est du réel, mais on peut tout inventer. » Antoine trouva très belle cette hypothèse. L'enchaînement de cet instant après la mise au point dans le bureau lui paraissait improbable. Quelques minutes plus tard, ils laissèrent l'inconnue dans son cadre. En partant, Antoine jeta un dernier regard vers elle et ne discerna plus qu'un éclat de lassitude.

9

À la sortie du musée, ils restèrent en silence sur le parvis. Finalement, Mathilde proposa :

« Je dois aller au vernissage d'une exposition, si vous voulez m'accompagner…

— Je ne peux pas. Ma mère est très malade, répondit Antoine machinalement.

— Ah pardon, je ne savais pas. Je suis désolée.

— … »

Antoine avait préparé cette réponse au cas où Alain lui proposerait à nouveau d'aller boire un verre. Alain ou n'importe qui d'autre d'ailleurs. C'était une très bonne repartie, imparable. Il s'éloigna, mais au bout de quelques secondes, il regretta d'avoir refusé sa proposition. Cette femme l'apaisait. Il fit demi-tour, et la rattrapa :

« Excusez-moi. Je veux bien venir finalement.

— Et votre mère ?

— Elle n'est pas malade. Elle va bien. Elle va même très bien.

— Cela devient difficile de vous suivre.

— C'était juste une excuse au cas où… car les gens proposent sans cesse des rendez-vous… ils veulent créer des liens… parler, toujours parler… et parfois, on a juste envie de rester seul… »

Antoine s'enfonça quelque peu dans son explication. Sa voix perdit en intensité, si bien qu'on ne pouvait plus distinguer ce qu'il disait. Mathilde pensa que cela n'avait aucune importance, de comprendre ou de ne pas comprendre cet homme-là. Elle était heureuse qu'il vienne avec elle.

Ils se retrouvèrent dans une galerie parisienne, à contempler une étonnante série de tableaux. L'artiste avait repris des toiles célèbres, mais privées de leurs modèles. On y trouvait par exemple une sorte de mur beige intitulé *La Joconde sans la Joconde*. Ou encore un bar américain vide qui représentait une célèbre toile de Hopper sans ses protagonistes. Le plus saisissant était ce tourbillon de couleurs censé figurer *Le Cri* de Munch mais sans le fantôme hurlant. L'artiste expliquait qu'il avait décidé de « libérer les modèles de l'oppression du cadre ». Yves Kamoto[1] arpentait fièrement les trois salles de la galerie. On le devinait en état de jouissance suprême, le vernissage étant à l'évidence un des moments forts de la vie d'un artiste. Pourtant, c'est souvent un temps empreint d'une vacuité sociale, puisqu'on croule sous des compliments qui perdent de leur intérêt en s'accumulant ainsi dans l'exercice d'une politesse sociale. On travaille parfois des années pour aboutir à une soirée d'autosatisfaction factice.

Mathilde était une amie d'Agathe, sœur et fervente admiratrice d'Yves, absente en ce jour de consécration. Elle était partie faire le tour du monde pendant six mois, désespérée de n'avoir ni travail ni homme dans sa vie. Elle trouverait peut-être l'un ou l'autre en Chine ou au Chili. Mais, dilapidant un peu trop vite sa prime de licenciement, il était également probable qu'elle soit contrainte de rentrer plus tôt. Les deux amies se parlaient parfois par Skype, et évoquaient leur quotidien en tentant de rendre le récit plus excitant que la réalité ; par écran interposé, on se dit moins facilement qu'on ne va pas bien. En revanche, Agathe avait insisté plusieurs fois : « Il

1. Il avait décidé de japoniser son nom à des fins commerciales, mais il s'appelait en réalité Yves Kamouche.

faut que tu ailles au vernissage de mon frère, il m'en veut tellement de ne pas être là, alors c'est comme si tu me représentais. » Ainsi, il y avait un peu d'Agathe dans Mathilde ce soir-là.

Antoine, lui, était complètement Antoine : il se demandait ce qu'il faisait là. Quelle folie d'avoir accepté. Et de se retrouver au milieu d'une foule qui, à travers le prisme de son malaise intérieur, semblait hostile. Pendant des années, il avait couru les vernissages et connaissait la plupart des artistes lyonnais, mais cette fois c'était au-dessus de ses forces. Il s'éclipsa subitement, ce qui n'échappa pas à Kamoto, qui dut en conclure que cet homme-là n'aimait pas son travail. Une fois dehors, il voulait continuer à marcher, mais pouvait-il partir ainsi ? Sans même saluer Mathilde. Sans même expliquer qu'on peut accepter une proposition, mais une fois qu'elle se concrétise, cela devient tout simplement impossible à vivre. Mathilde finit par le rejoindre :

« Ça va ? Qu'est-ce qui se passe ?

— Rien. Je voulais juste prendre l'air.

— Ça ne vous plaît pas ? demanda-t-elle.

— Non… non… ce n'est pas ça…

— Vous voulez qu'on aille ailleurs ? Je connais un café à côté.

— Oui. D'accord. Faisons ça… »

Ils s'échappèrent comme deux voleurs de beauté.

10

Le café évoqué par Mathilde n'avait aucun charme ; son seul intérêt était sa position géographique. Elle avait bien senti qu'il ne fallait pas aller trop loin, si elle ne voulait pas donner à Antoine l'occasion de changer d'avis. Il fallait sans cesse chasser le doute chez lui. Quelques mètres plus loin, le bistrot les attendait. Ils s'installèrent dans un coin tranquille ; mais c'était surtout par réflexe, car le lieu était désert. C'était une transition parfaite avec l'œuvre de Kamoto : on avait libéré tous les figurants de la ville.

Le serveur s'approcha. Ils se décidèrent pour du vin rouge. C'était aussi un élément nouveau pour Antoine. Son errance n'avait pas été parsemée de ces moments de désespoir où seul l'alcool semble être en mesure de vous sauver. Jusqu'ici, son mal-être avait été sobre. Mathilde, elle, avait envie de boire pour atteindre rapidement cette légère ivresse qui lui permettrait de se détendre. Pour tous les deux, la situation était stressante : ils se connaissaient à peine. Il est toujours plus facile d'être debout qu'assis avec un inconnu. Tant qu'ils arpentaient la galerie ou marchaient dans la rue, le moment pouvait rester léger. Mais maintenant, l'un face à l'autre, le rendez-vous devenait réel, presque grave. Mathilde, qui paraissait si sûre d'elle au musée, se laissait gagner par le doute. D'une certaine manière, elle rejoignait Antoine dans le monde de l'incertitude de soi.

Il faut dire qu'elle ne sortait pas beaucoup. La plupart du temps, Mathilde restait chez elle avec ses enfants. Son ex-mari ne les prenait qu'un week-end sur deux, et elle n'engageait pas souvent de baby-sitter. Le hasard avait voulu qu'Antoine parasite le discours d'un guide un jour où justement Mathilde avait prévu de sortir. Le hasard avait donc sa part de responsabilité. Mais, il ne pouvait pas tout faire. Il fallait prendre en charge le réel ; il fallait parler. Mathilde finit par demander :

« Vous avez un rapport avec l'acteur Romain Duris ?

— C'est mon cousin.

— Ah… je l'aime beaucoup. Vous pourrez lui dire, si vous le voyez. Enfin, ce n'est pas très original…

— À vrai dire, ce n'est pas mon cousin. J'ai dit ça comme ça, pardon.

— Ah bon ?

— Les gens me posent souvent la question. Moi, je ne le connais pas vraiment. Je ne vais pas souvent au cinéma. Mais parfois je dis que c'est mon cousin, ou mon frère carrément. Ça me donne une drôle d'importance dans le regard des autres. J'ai toujours trouvé ça bizarre.

— Vous m'avez trouvée ridicule ?

— Non, pas du tout. J'aurais adoré être son cousin, juste pour vous faire plaisir.

— Merci.

— Et vous… Mattel ?

— Quoi ?

— Vous avez un rapport avec les jouets ? »

Mathilde esquissa un sourire, sans savoir si Antoine était sérieux ou ironique. Il était toujours difficile avec lui de discerner la couleur de ses mots.

Le vin atténuant leur timidité, ils se mirent à parler sans plus laisser la moindre pause. Mathilde finit par évoquer le sujet qu'elle voulait aborder depuis le début :

« Vous ne voulez toujours pas me dire ce que vous faites à Orsay ?

— …

— Cela restera entre nous…

— Je suis désolé, je n'ai pas envie de parler de ça…

— D'accord, je n'insiste pas. Mais si vous changez d'avis, je suis là…

— … »

Mathilde comprit qu'elle n'aurait pas dû parler de ça, mais elle voulait simplement lui témoigner son affection ; elle n'était pas animée par une quelconque curiosité, mais par l'envie de lui dire qu'elle était là pour lui. Elle se doutait bien qu'il y avait quelque chose de grave derrière son changement de vie. Au moment où il avait dit qu'il ne voulait pas en parler, elle avait perçu des sanglots dans sa voix ; des sanglots maîtrisés, quasiment imperceptibles, mais elle avait senti des larmes en guet-apens des mots. Le serveur s'approcha pour annoncer la fermeture imminente du lieu. Il était temps de se quitter.

11

La conséquence de cette soirée fut pour le moins paradoxale : ils se verraient très peu désormais. La nuit et l'ivresse avaient favorisé une intimité qui demeurait complexe à poursuivre au sein du musée. Mathilde ne savait plus quelle attitude adopter avec Antoine. Elle n'osait plus passer le voir le matin. Devait-elle lui proposer un autre rendez-vous ? Une chose était certaine : il ne prendrait pas la moindre initiative. À l'évidence, leur errance avait représenté à ses yeux un hors-piste dans son quotidien. C'était le genre de personne qui, à la moindre invitation, annonçait que sa mère était mourante.

Pourtant, Antoine avait apprécié leur soirée, et même, elle lui avait fait un bien fou. Sa première respiration depuis ce qu'il avait vécu. Il ne se sentait simplement pas la force de créer le moindre lien. Finalement, la seule personne avec qui il avait un peu parlé, c'était Alain. Mais il avait disparu du jour au lendemain. Après le départ de sa femme, sans doute avait-il ressenti le besoin de changer d'air. Il avait été remplacé par Laurence, une femme longiligne au visage anguleux qui semblait tout droit sortie d'une toile de Modigliani. Recrutait-on uniquement des employés qui ne détonneraient pas avec les tableaux ? Cela serait une idée comme une autre. À vrai dire, Laurence travaillait depuis longtemps au musée, et était plutôt heureuse de cette mutation de chaise. Elle était assez impulsive, gesticulait pour un oui ou pour un non. Antoine la regardait se lever pour sermonner un visiteur s'approchant un peu trop d'une toile. D'une voix stridente, des centaines de fois par jour, elle piaillait : « *No flash, please !* » Cela semblait lui offrir une grande satisfaction d'exercer ce petit pouvoir, et peut-être était-ce la compensation à une vie frustrante.

Tout comme d'autres employés, Laurence se demandait qui était vraiment Antoine. Il ne parlait jamais de lui et arborait sans cesse une mine de fin novembre. Mais, la foule des visiteurs de l'exposition étant toujours aussi nombreuse, les deux gardiens de la grande salle ne se voyaient pratiquement pas. On se pressait, on se tassait, on se poussait. Et juste à cet instant, il y avait une femme qui ne regardait pas les tableaux. Elle se tenait debout près d'Antoine. En la découvrant, il la considéra comme une effraction du réel.

C'était sa sœur ; c'était Eléonore.

12

Chaque soir, Mathilde avait le cœur battant à l'idée de retrouver ses enfants. Sur le trajet la menant du musée à son domicile, elle imaginait déjà sa petite fille courant vers elle, rejointe ensuite par son fils. Elle parlerait à la baby-sitter qui transmettrait les informations collectées à la maternelle et à l'école primaire. On écoute la vie de ses enfants comme on écoute un récit palpitant. Et puis, ils se retrouveraient tous les trois. Depuis la séparation d'avec leur père, ils avaient trouvé un nouvel équilibre, plus apaisé. Les derniers temps du couple avaient été jalonnés de nombreuses tensions. Des mois d'un flottement triste où le mariage paraît un fait établi plus qu'une envie. On ne voit pas que la fin approche, on pense à une crise, à une période un peu critique, la vie ne pouvant pas être constituée d'une succession d'euphories sentimentales, mais parfois il s'agit de la première apparition d'une ombre que l'on ne pourra plus chasser. Les ruptures existent longtemps avant le matin où l'on se dit : c'est fini.

Mathilde ouvrit sa porte, et il se produisit exactement ce qui était prévu. Quelques minutes plus tard, la baby-sitter prenait congé, et le trio s'installait dans la cuisine pour dîner. Les courses avaient été faites le samedi précédent, comme tous les samedis, et il fallait chaque fois réfléchir un peu pour essayer de varier les menus. Bien souvent, Mathilde finissait par préparer des pâtes. Les enfants se disputaient toujours pour les mêmes raisons, et elle tentait de calmer les énervements liés à la fatigue. Au bout d'un moment, elle allait leur mettre un dessin animé dans le salon. Alors qu'elle s'était fait une joie de les retrouver, elle se sentait déjà épuisée. Un instant, elle se mit à rêver d'une soirée seule, à dîner en regardant un film, ou à lire dans son lit. Pendant que les pâtes cuisaient, elle s'installa sur le canapé, entre ses enfants captivés maintenant par un dessin animé vu et revu encore. Au moment de manger, elle voulut éteindre l'écran, et comme tous les soirs elle eut droit à des cris, et de guerre lasse finit par céder. Il est impossible de lutter contre des enfants après une journée de travail.

Ensuite, il fallait vérifier les devoirs du plus grand, préparer les affaires de danse de la petite. Et puis, c'était l'heure de l'interminable négociation du bain. Ils ne voulaient plus le prendre ensemble. C'était l'un après l'autre. Mais chacun d'eux voulait passer le premier. En reine de la logistique et de la diplomatie, Mathilde régnait sur un royaume affectif qui pouvait à tout moment basculer dans une crise internationale. Une fois le bain donné, il fallait passer à l'opération pyjama, lire des histoires, chasser des loups, et s'énerver car il était temps de dormir. Une fois dans sa chambre, Mathilde se dit que la soirée n'avait été qu'un enchaînement de directives, et les moments de tendresse bien trop fugitifs. Elle alluma la télévision et tomba sur *De battre mon cœur s'est arrêté*, un film avec Romain Duris. Elle y vit comme un signe.

13

Eléonore enchaînait les allers-retours dans le petit appartement de son frère. Elle n'en revenait pas qu'il puisse vivre ainsi, dans ce périmètre de désolation esthétique. Il avait quitté un beau trois-pièces, sur les quais, à Lyon. Bien sûr, il ne s'agissait que de considérations matérielles, mais cela éclairait beaucoup la situation. Malgré cette nervosité qui se révélait impossible à canaliser, elle était profondément soulagée. Après plusieurs semaines de recherches, enfin, elle avait retrouvé son Antoine. Elle tentait de se calmer, de ne pas lui en vouloir, pas pour le moment. À l'évidence, la moindre agressivité serait contre-productive. Elle devait essayer de le comprendre. Mais comment était-ce possible ? Il avait menti en prétextant l'écriture d'un roman ; il avait laissé ses proches dans le désarroi. Tout ça pour se terrer ici, dans ce trou à rats.

Il est souvent possible d'anticiper la faiblesse. Certaines personnes s'effondrent, font ce que l'on appelle communément une dépression, et la plupart du temps nous ne sommes pas surpris. Des signes avant-coureurs avaient annoncé la chute. Ces hommes ou ces femmes vivaient sur un terrain de plus en plus fragile. Ce n'était pas du tout le cas d'Antoine. Rien ne laissait présager un tel bouleversement dans sa vie. Aux yeux de sa sœur, il avait toujours été un garçon solaire. Il avait bien sûr ses moments de repli et de rêverie[1] mais c'était un homme solide. On pouvait compter sur lui. Ou bien avait-il caché sa véritable nature ? Eléonore se sentait coupable de n'avoir rien vu venir. « On ne connaît jamais personne », avait dit une de ses amies pour la réconforter.

Au fond d'elle-même, elle pouvait comprendre Antoine. Il lui était arrivé parfois, lors d'emportements violents, d'avoir envie de tout quitter, la vie familiale et ses contraintes, la vie professionnelle et ses pressions. Tout paraissait alors étouffant et paralysant. On se rêvait, le temps de cette furie, dans un ailleurs qui aurait le goût de la liberté. Puis la tempête se calmait, et l'on restait gentiment assis dans sa vie.

Antoine ne disait rien, baissait la tête comme un enfant. Cela lui faisait mal d'avoir inquiété sa sœur à ce point. Un jour, peut-être, elle comprendrait. Pour l'instant, il se sentait envahi par le silence. Les mots qui parcouraient son corps ne parvenaient toujours pas à se transformer en paroles audibles. Au bout d'une heure, Eléonore, moins agitée, vint s'asseoir près de lui, sur le rebord du lit :

« Antoine, tu dois m'expliquer.

— J'ai essayé. J'ai voulu t'appeler plusieurs fois, mais je n'y suis pas parvenu.

— C'est à cause de Louise, c'est ça ?

1. On disait qu'il était « l'artiste de la famille ».

— Non.

— Tu peux me le dire. Je sais que tu as fait bonne figure quand vous vous êtes séparés. C'était d'un commun accord, tu m'as dit… mais je n'y crois pas, à cette version… et puis…

— Quoi ?

— Non, rien.

— Tu veux me dire qu'elle a rencontré quelqu'un ? Je le sais. Je suis heureux pour elle.

— Parle-moi. Je suis là.

— Je sais que tu es là. Et je m'en veux d'être parti comme ça. Je n'ai pas pu faire autrement. Tu peux me croire… si j'avais pu, je t'aurais parlé.

— Mais qu'est-ce qui s'est passé ? Si ce n'est pas Louise… alors, c'est quoi ?

— … »

À cet instant, Antoine se dirigea vers la fenêtre, dos à sa sœur. Il luttait pour contenir son émotion, mais elle le submergeait. Justement, il avait voulu fuir pour qu'on ne lui pose pas de questions, pour éviter ces interrogatoires. Mais il la comprenait. Il aurait agi de la même façon si elle avait disparu sans explication du jour au lendemain. Il avait imaginé que le temps et l'éloignement lui permettraient de panser sa douleur. Mais la plaie était encore trop vive. Des larmes coulaient en silence, et pourtant Eléonore avait l'impression de les entendre. Elle comprit que son frère ne parlerait pas, ou pas maintenant. Il était là, face à elle. Il était vivant, et c'était tout ce qui comptait.

Elle lui proposa de sortir dîner. Ils entrèrent dans un restaurant thaïlandais, juste au pied de l'immeuble. Le décor était idéalement kitsch pour vous donner la sensation de quitter l'atmosphère pesante du moment. Eléonore se mit à parler de sa fille, évoqua des détails de la vie ordinaire. Antoine se demanda si, finalement, sa fuite n'avait pas accentué son malaise. Il s'était écarté de tout ce qui le rendait heureux, comme sa nièce par exemple. Son départ était celui d'un coupable qui s'interdisait dorénavant toute possibilité de bonheur. Au bout d'un moment, il demanda :

« Comment m'as-tu retrouvé ?

— Un peu par hasard. Tu avais tellement bien réussi à nous chasser de ta vie. Il n'y avait plus moyen de savoir où tu étais. Plus de téléphone, plus d'adresse, plus d'abonnement à rien. J'ai tout imaginé. J'ai même pensé que tu étais peut-être un agent du renseignement, et que tu étais en danger. Et puis, ça m'a paru peu probable.

— …

— J'ai appelé tous tes amis pour les interroger sur ton état d'esprit ces derniers mois. Tous trouvaient ça plausible, ton histoire de roman à écrire.

— …

— Et j'ai appelé Louise, bien sûr.

— Qu'est-ce qu'elle t'a dit ?

— Rien de particulier. Que vos dernières discussions avaient été plutôt apaisées, mais qu'elle sentait bien une tristesse dans ta voix.

— C'est normal, on a passé sept ans ensemble.

On a tout partagé. Alors c'est toujours un peu triste de se parler comme ça, pour se demander des nouvelles. Elle avait l'air triste, elle aussi.

— Oui, sûrement…

— Je te le répète, tout va bien entre elle et moi. On s'est séparés, c'est comme ça, c'est tout.

— Je pense toujours que tu as caché ta souffrance à ce moment-là.

— Je ne voulais pas vous encombrer. C'est terriblement banal, une séparation. Il n'y a rien à dire. Ne parlons plus de Louise, d'accord ?

— Très bien.

— Alors, comment tu m'as retrouvé ?

— J'ai créé une alerte mail à ton nom. Je me suis dit que si jamais quelqu'un te mentionnait sur Internet, je pourrais le savoir. Et puis tous les matins, j'allais sur les réseaux sociaux pour vérifier si tu n'apparaissais pas quelque part. Et c'est là que je t'ai trouvé.

— Ah bon ?

— Oui, un de tes élèves t'a reconnu. Il a posté sur Twitter une photo de toi sur ta chaise avec un commentaire qui disait : "Quelle déchéance ! Mon ancien prof aux Beaux-Arts, monsieur Antoine Duris, est devenu gardien de musée !"

— …

— Dès que j'ai vu ça, je suis venue vérifier.

— C'est quel élève ?

— Je ne sais plus. Un certain Hugo. Enfin, peu importe. Voilà comment je t'ai retrouvé.

— C'est fou.

— Quoi ?

— On ne peut plus fuir. Il y a toujours quelqu'un pour dire aux autres où vous êtes, maintenant. Ça ne t'inquiète pas, toi ?

— Écoute, je m'en fous. Au contraire, grâce à cet Hugo, je suis avec toi. Et je peux enfin respirer. Je t'en veux vraiment d'avoir disparu comme ça, mais je suis si heureuse ce soir.

— Moi aussi…

— Tu comptes revenir quand ? Tu ne vas pas rester éternellement ici. Viens chez moi, je vais m'occuper de toi… »

Antoine posa une de ses mains sur celle de sa sœur. Il ne savait pas combien de temps encore il allait vivre ainsi, mais, pour la première fois depuis qu'il s'était enfui, il se dit qu'un moment viendrait où il devrait retrouver sa vie.

14

Eléonore regagna Lyon le lendemain, après avoir fait promettre à son frère de lui donner des nouvelles régulièrement. Il avait accepté ; en contrepartie, elle ne révélerait pas où il était. Deux jours plus tard, fidèle à sa promesse, il remettrait la puce dans son téléphone. Il lui enverrait un message rassurant. Le monde extérieur réintégrait le champ de vision d'Antoine. La visite de sa sœur, son attitude à la fois bienveillante et ferme, l'avait obligé à une prise de conscience. Une nouvelle étape allait commencer.

En allumant son téléphone, il reçut une avalanche de messages. Au cœur des mots apparut le prénom de Louise : « Antoine, il paraît que tu es parti. Tout le monde s'inquiète. Donne-nous des nouvelles s'il te plaît. Donne-moi des nouvelles. » Eléonore l'avait informée de sa disparition, en se disant qu'elle seule pourrait faire réagir son frère. Cela n'avait pas été le cas. Les messages de Louise, comme ceux des autres, étaient restés sans réponse. En lisant, Antoine songea qu'elle s'était peut-être sentie responsable de son départ. Elle avait dû se dire à un moment ou à un autre : « S'il est parti, c'est à cause de moi. » Mais, au fond, que savait-il de ce que pensait Louise ? Rien. Et c'était ainsi depuis longtemps. Leurs derniers mois ensemble avaient été émaillés d'incompréhensions. Une sorte de zone indécise s'était propagée sournoisement. Antoine ne l'avait pas vue venir, cette zone ; peut-être était-il resté trop longtemps aveuglé par la beauté de leurs débuts ? Cela paraissait si loin maintenant.

Quelques images passèrent devant ses yeux, résumant fugitivement sept années. Le temps de l'amour et le temps du désamour. Cela lui parut presque absurde : ce qu'ils avaient vécu prenait l'allure d'une peau de chagrin. Lui revint en mémoire un voyage à Paris ; ils avaient visité ensemble le musée d'Orsay. Un gardien de salle avait dû les voir, main dans la main, arpenter cette salle où Antoine passait ses journées maintenant.

Ils étaient beaux et merveilleux à cette époque, remplis d'une certitude amoureuse qui respirait l'éternité.

15

La grâce existait encore ; il suffisait de se souvenir de ce moment où Mathilde et Antoine, après la fermeture du musée, avaient contemplé *Maud*. Lors de ses pauses, il retournait parfois observer cette photo. Pas spécialement pour sa qualité artistique, mais pour se replonger dans la douceur de cet instant partagé avec Mathilde. Par cette sorte de pèlerinage, il se rapprochait d'elle. On aime ce qui est aimé par ceux qu'on aime. Il regrettait qu'ils ne se parlent plus. Pourquoi ne venait-elle plus le voir ? Était-elle gênée ? C'était possible. À des degrés différents, il l'avait bien compris de ses quelques confidences ce soir-là, ils étaient tous deux en convalescence émotionnelle. Plusieurs fois, il avait voulu aller la retrouver dans son bureau, mais qu'aurait-il pu lui dire ? Demander une augmentation ? Il avait sérieusement envisagé ce prétexte. L'absurde est toujours voisin du désir.

Antoine était toujours en face de Jeanne Hébuterne. Il se laissait aller parfois à lui parler intérieurement, une sorte de confidente secrète au milieu de la foule. Du monde entier, on se pressait pour voir cette rétrospective. Les visages se mêlaient, les jours se confondaient les uns aux autres, et Fabien Frassieux venait encore commenter les œuvres, en compagnie de ses groupes. Depuis leur contentieux, Antoine se faisait discret quand il le voyait arriver. Déjà quasiment invisible dans un coin de salle, avec son costume sombre, il accentuait son effacement en se tassant le plus possible sur sa chaise.

Cela n'empêchait pas Antoine d'écouter les récits du guide, toujours les mêmes, à deux ou trois mots près. Il récitait mécaniquement la vie du peintre, ce qui était finalement assez normal. Il n'allait pas ajouter de nouveaux éléments biographiques pour pimenter sa routine. Mais ce qu'éprouvait Antoine en écoutant Frassieux, il ne l'avait jamais ressenti pour lui-même : pendant des années, il avait donné les mêmes cours sans être envahi par le moindre sentiment d'automatisme. Selon les classes, les élèves, l'atmosphère était différente. C'est ce que peuvent éprouver certains comédiens qui enchaînent des centaines de représentations au théâtre : il y a toujours quelque chose de différent dans l'identique.

Fabien Frassieux aimait son métier, à n'en pas douter, mais on sentait chez lui cette sorte de suffisance que donne la certitude du savoir. Comme s'il avait dîné la veille avec Modigliani. Il parlait de lui avec une assurance démesurée. Antoine, qui avait écrit une thèse sur le peintre, l'avait au contraire trouvé très difficile à cerner. C'était un homme animé par le désir de la réussite, et pourtant, caractériel et instable, il avait souvent agi contre ses propres intérêts. Certains destins paraissent être écrits contre leur auteur, pensait Antoine à propos de Modigliani. Sa force noire se mêlait à un éclatant rêve de lumière. Ainsi, il était impossible de parler de lui sans nuances. Certes, Frassieux n'était pas face à des érudits, et son métier consistait à vulgariser les intentions d'une vie, au détriment d'une réalité plus complexe.

Ce matin-là, Antoine se leva subitement pour s'approcher du groupe. Fabien, de dos, ne put voir arriver le gardien incontrôlable. Il était lancé dans une longue explication picturale quand il entendit une voix s'élever :

« Excusez-moi…

— … »

Fabien se retourna, glacé. Il n'allait tout de même pas oser… à nouveau… non, ce n'était pas possible.

Il osa.

« Je me suis permis d'écouter les derniers commentaires et je voudrais ajouter un détail qui me paraît très important, et très beau. Jeanne Hébuterne, après la mort de son amour… »

Dans une colère froide, Fabien écouta l'histoire de la mèche de cheveux déposée sur le cadavre de Modigliani. Il n'en revenait pas. Ce psychopathe avait osé à nouveau l'interrompre. Il avait pourtant accepté de passer l'éponge la première fois, à la demande de Mathilde. Cette fois, à l'évidence, il ne s'agissait ni d'une pulsion incontrôlable ni d'une maladresse mais d'un acte conscient et malveillant.

Au milieu du groupe, Antoine continuait à parler. Que faire ? se demanda Fabien. Lui mettre un poing dans la gueule ? Non, non, rester calme, surtout rester calme… une altercation nuirait à son image et à celle du musée… mais comment rester calme face à ce fou ? Avec une maîtrise de soi qui lui sembla admirable au vu de ce qu'il ressentait, Fabien coupa le monologue d'Antoine avec un grand sourire :

« Eh bien merci pour ces précisions. Nous allons continuer la visite dans la prochaine salle. Mais je ne pense pas que vous puissiez quitter votre poste…

— En effet… », admit Antoine.

Les visiteurs suivirent Fabien. Une femme lui souffla :

« Il était charmant ce gardien. Et érudit.

— Oui, tout à fait. C'est un plaisir de l'avoir parmi nous », répondit Fabien avec un dernier regard noir à l'intention de son adversaire.

16

Une heure plus tard, Antoine était convoqué par la DRH. Il marcha à travers le long couloir, avec une grande appréhension. Non pas de ce que Mathilde allait lui dire, mais simplement de la revoir. Ce nouvel incident l'avait laissée abasourdie. Pourquoi Antoine avait-il agi ainsi ? Elle l'avait protégé et il le savait. C'était sa position à elle qui était maintenant fragilisée au sein du musée. On lui reprocherait d'avoir embauché un déséquilibré. Pire, elle l'avait maintenu à son poste après une première alerte.

Il frappa à la porte, entra doucement. En revoyant Mathilde, alors qu'il savait le moment grave, il ne put s'empêcher d'esquisser un sourire.

« Cela vous amuse ? interrogea-t-elle sèchement.

— …

— Je vous demande si cela vous amuse.

— Non, pardon, mais je suis heureux de vous revoir.

— J'aurais préféré que ce soit dans d'autres circonstances.

— Je ne savais pas comment faire. Vous ne veniez plus…

— Vous êtes en train de me dire que vous avez interrompu Fabien à nouveau… juste pour que je vous convoque ?

— C'est ça… », répondit Antoine un peu

gêné, comme s'il se rendait compte subitement de l'étrangeté de son attitude.

Mathilde restait bouche bée. Elle était profondément furieuse, mais une autre vague s'approchait en elle, de ravissement. Qui pouvait se comporter d'une manière aussi folle pour revoir une femme ? Elle lui fit signe de s'asseoir. Au bout d'un moment, elle balbutia :

« Je ne sais pas quoi vous dire, franchement. Il y avait d'autres moyens tout de même pour se retrouver. Vous me mettez vraiment dans l'embarras.

— Je suis désolé.

— Et cette fois-ci, je ne pourrai rien faire. Vous allez devoir partir.

— Oui, je m'en doute.

— Qu'allez-vous faire ? demanda-t-elle après un temps.

— Je vais retourner à Lyon…

— …

— Ces derniers jours, j'ai beaucoup réfléchi. Il y a eu notre soirée, puis l'arrivée de ma sœur… »

Il s'arrêta. Retourner à Lyon. Il n'avait jamais formulé les choses aussi clairement dans son esprit. Certes, il avait agi ainsi pour revoir Mathilde, mais son attitude avait également été celle d'un homme qui veut se saborder. Il ne pouvait pas annoncer calmement une démission, faire les choses d'une manière pondérée et civilisée, non, son attitude avait été la même que celle qui l'avait poussé à tout quitter. Il fallait trancher brutalement pour abréger la confusion.

Mathilde finit par réagir, le tutoyant soudain :

« Tu vas faire quoi à Lyon ? Reprendre ton poste ?

— Non, pas tout de suite. Je ne peux pas encore.

— Alors quoi ? Tu peux tout me dire…

— Je voudrais que tu viennes avec moi, proposa-t-il subitement.

— À Lyon ?

— Oui. Accompagne-moi.

— Mais… je ne peux pas partir comme ça…

— Juste un soir… Tu m'accompagnes, et tu reviens demain. J'ai besoin de toi… »

Antoine n'était plus le même homme. Celui qui cherchait ses mots en permanence avait retrouvé la clarté. Soudain, il se sentait déterminé, prêt à se confronter à la situation qu'il avait quittée. Il se mit à entrer dans les détails. Ils pourraient prendre la voiture de Mathilde, partir dès la fermeture du musée. Elle rétorqua : « Et mes enfants ?… », mais elle connaissait la réponse. Elle pouvait tout à fait appeler sa mère pour venir les garder un soir. Et puis, pour son travail, elle poserait un jour de congé. Il n'y avait aucun obstacle à cette pulsion. Alors qu'elle faisait mine de réfléchir, Mathilde savait déjà qu'elle ne pourrait pas dire non. Elle voulait suivre Antoine, et peu importe où.

17

Ce soir-là, il y avait très peu de monde sur l'autoroute ; par moments, la voiture de Mathilde était carrément seule. Les deux passagers auraient pu être les survivants d'une catastrophe planétaire. Les conditions météorologiques se prêtaient d'ailleurs à cette hypothèse. Le ciel était bas et sombre, comme s'il voulait démontrer son emprise sur la Terre. Pourtant, ce qui pouvait apparaître comme une atmosphère oppressante ne se ressentait pas à l'intérieur du véhicule. Antoine et Mathilde parlaient peu, des mots échangés ici ou là, des sujets effleurés, mais pas la moindre perspective d'une conversation ininterrompue avec des répliques qui s'enchaîneraient en continu. Entre eux, il y avait toujours de grands silences. C'est peut-être la définition d'une véritable affinité : ne pas se sentir obligé d'encombrer le vide. Ils n'avaient même pas pensé à mettre de la musique, ou la radio, non, rouler dans la nuit suffisait à la densité de l'instant.

Mathilde conduisait rarement. Il était préférable de faire une pause. Elle s'arrêta dans une station-service déserte. Ils avancèrent vers la machine à boissons. Après un temps d'observation, Antoine finit par annoncer qu'il hésitait entre un chocolat chaud et un potage. Mathilde partit dans un fou rire.

« Quoi ? Qu'est-ce que j'ai dit ? demanda Antoine.

— Non… rien… c'est juste qu'un potage et un chocolat, c'est très différent. En général, quand on hésite, c'est dans la même catégorie. C'est un peu comme si tu disais : pour les vacances, j'hésite entre les Baléares et l'Islande. »

Antoine se mit à sourire, avant de se justifier :

« Pour les vacances, je sais toujours où je veux aller. Mes seuls doutes concernent le choix des boissons.

— Très bien. Alors je te propose qu'on prenne un chocolat chaud et un potage, et on partagera.

— Très bonne idée[1]. »

Ils continuèrent à parler des boissons jusqu'au moment où un couple entra dans la station. Il se dirigea vers la machine, où l'homme inséra une pièce sans la moindre hésitation. Il appuya sur le bouton café court sans sucre. La femme s'exécuta avec la même dextérité en pressant sur café latte, et trois fois sur l'option sucre. Ils repartirent avec leurs gobelets aussi vite qu'ils étaient arrivés. Antoine les suivit du regard, fasciné par une telle aisance dans la vie liquide.

Mathilde profita de ce moment de légèreté pour demander à Antoine des détails sur leur voyage :

« On va chez toi, à Lyon ?

— Non, j'ai rendu mon appartement.

1. Un instant plus tard, ils se rendirent compte de l'ironie de la situation : le potage et le chocolat chaud avaient exactement le même goût.

— On ira à l'hôtel alors ?

— Je ne sais pas. Nous verrons. J'ai juste besoin d'aller quelque part.

— D'accord... », répondit-elle sans insister.

À l'évidence, il ne fallait pas poser trop de questions. Sous son air calme, elle sentait chez lui une peur tenace. Il luttait pour trouver le courage de retourner à Lyon, et semblait encore en proie au doute. Plusieurs fois, il lui avait dit qu'il n'aurait pas pu faire le trajet sans elle. Cela la rendait heureuse ; elle voulait être utile à cet homme. Elle voulait le suivre dans l'ombre, et elle voulait le suivre dans la lumière. Ce n'était même plus une question de curiosité. Elle allait sûrement savoir ce qui s'était passé dans sa vie pour qu'il fuie ainsi, mais l'essentiel à ses yeux demeurait son apaisement. Le jour de leur rencontre, elle avait eu le sentiment d'être face à un homme qui glissait ; un homme qui, même assis, respirait la chute. Et ils se retrouvaient maintenant, au milieu de nulle part. Malgré la laideur inouïe du lieu il y avait tout de même de quoi être happé par la tendresse.

18

Vers minuit, ils arrivèrent en périphérie de Lyon. Cette ville qu'on appelle *la ville des lumières*. Antoine indiqua le chemin à Mathilde, et ils se dirigèrent vers Tassin-la-Demi-Lune, une commune de la banlieue ouest. Mathilde remarqua que c'était un nom poétique, mais elle était d'humeur à trouver beaucoup de choses poétiques. Alors qu'elle allait rester si peu à Lyon, il lui semblait que le moment présent prenait la posture du toujours. Il n'y avait personne dans les rues, et elle ne savait pas où ils allaient. Antoine ne semblait pas bien connaître l'endroit non plus. Après quelques hésitations, il finit par trouver son chemin. C'était là, au bout de l'avenue. Mathilde roulait de plus en plus doucement, dans un rythme opposé à celui du cœur d'Antoine, qu'elle sentait battre de plus en plus vite. Il fit un geste de la main, et elle se gara devant un cimetière.

Antoine sortit de la voiture, avança vers la grande grille. Mathilde préféra ne pas bouger, tant qu'il ne lui demandait pas de le rejoindre. Il demeura un moment immobile devant l'entrée, trouvant absurde qu'elle soit fermée ; comme si la mort avait des horaires.

Il retourna alors dans la voiture sans rien dire. Il faudrait attendre le matin. Il se sentait épuisé ; l'impression d'avoir déployé une énergie démesurée pour venir jusqu'ici. Il fallait trouver un hôtel, songea Mathilde. Sur son téléphone, elle vit que le Campanile de Tassin-la-Demi-Lune proposait une réception 24 h / 24. Ils s'y rendirent. Ces derniers mouvements avaient été exécutés mécaniquement, sans la moindre anticipation du réel, sans penser qu'ils allaient bientôt se retrouver à partager la même chambre. Il y avait une telle simplicité entre eux, et du désir bien sûr. Mais ce n'était pas le moment. Ils s'allongèrent l'un contre l'autre, Mathilde posa sa tête sur le torse d'Antoine. Il la serra dans ses bras. Elle s'endormit, mais lui ne parvint pas à fermer l'œil. Par la fenêtre, il put apercevoir une demi-lune dans le ciel. Avec le nom de la ville, cela en formait une pleine, pensa-t-il.

19

À cette époque de l'année, le cimetière ouvrait à 8 h 15. Mathilde s'était réveillée comme elle s'était endormie, tout contre Antoine. Il y avait si longtemps qu'elle n'avait pas dormi avec un homme ; il lui semblait que c'était la première fois. Sa nuit avait été troublée par des rêves épuisants, le genre de rêves que l'on fait quand son existence bascule ; l'inconscient s'excite démesurément. Antoine n'avait pas fermé l'œil, mais se sentait pourtant reposé. Ils laissèrent le jour se lever avant d'en faire de même.

Ils quittèrent l'établissement sans prendre de petit déjeuner. Antoine ne voulait plus attendre, ne pouvait plus. Ils seraient les premiers à marcher dans les allées du cimetière. Contrairement à la veille, le ciel s'était repositionné à sa hauteur naturelle, offrant au jour levant une lumière plus paisible. Il s'approcha d'une tombe. Mathilde, juste derrière lui, ne put lire immédiatement le nom gravé sur la pierre. Elle se décala doucement pour découvrir progressivement, telle une apparition :

CAMILLE PERROTIN

1999-2017

DEUXIÈME PARTIE

1

Quelques mois auparavant, Louise et Antoine étaient chacun assis d'un côté de leur salon. Elle venait de prononcer pour la première fois le mot « séparation ».

Pendant des années, ils avaient été l'un de ces couples qui ne forment qu'une seule personne. On ne disait pas Antoine, on ne disait pas Louise, on disait Antoine et Louise. On leur traçait un avenir radieux, on attendait leur mariage, on imaginait déjà l'enfant à venir. Pourtant, après sept années, ils avaient décidé de se quitter. Pour leur entourage, ce fut une surprise totale. Mais cela faisait un moment que Louise y songeait. Elle s'était confiée à sa meilleure amie, qui avait tenté de la rassurer. Cela arrive dans toutes les histoires d'amour d'avoir parfois le cœur qui bat moins fort ; le temps des papillons dans le ventre s'arrête à un moment. Louise pensa à cette expression : *les papillons dans le ventre*. C'était quoi ? C'était un temps où l'on attendait avec impatience de se retrouver chaque soir ; un temps où les baisers étaient des frissons ; un temps où l'on ne vivait sa vie que pour la raconter à l'autre. Alors, oui, ils s'étaient envolés, les papillons, mais la magie demeurait. Son cœur battait souvent quand elle pensait à Antoine ; mais c'était vrai, ces battements-là s'espaçaient de plus en plus. Et il est compliqué de vivre avec un cœur qui ne bat que de temps à autre.

La faiblesse du désir pouvait ressembler à une lassitude classique. À vrai dire, ce n'était pas cela. Louise avait mis longtemps à se l'avouer, mais c'était plus grave : elle ne voyait pas Antoine comme le père de ses enfants. Elle s'en voulait, car elle l'aimait depuis des années, mais elle n'arrivait pas à imaginer l'avenir avec lui. Ils avaient tous deux plus de trente ans, Antoine en avait même trente-sept, pourtant elle voyait leur histoire comme un amour de jeunesse. Plusieurs fois, elle avait essayé de lui en parler, mais d'une manière trop détournée ; il n'avait pas compris où elle voulait en venir. Il sentait qu'elle s'éloignait par moments, et cela l'attristait. Mais il était concentré sur son travail, ses élèves, ses cours, si bien qu'il n'avait pas réellement perçu l'imminence du danger. Quand Louise décida de rompre, elle lui fit admettre que leur relation n'était plus comme avant. Elle voulait qu'il partage la responsabilité de cette décision, qu'ils la prennent d'un commun accord. Est-ce que ça existe vraiment, dans une séparation ? Quand c'est une décision commune, c'est que l'un a convaincu l'autre.

Il n'arrivait pas à imaginer sa vie sans elle. Il avait le sentiment de l'avoir toujours connue. Il ne se rappelait plus comment c'était avant Louise, comme si son apparition avait jeté un voile amnésique sur son passé. Jusqu'à ses trente ans, il avait été un jeune homme un peu dans la lune, la tête dans les livres et les tableaux, passant des années à écrire une thèse, et vivant le fait d'enseigner aux Beaux-Arts comme une consécration. Et puis Louise était entrée dans sa vie, et il avait compris que le bonheur pouvait être une réalité.

Sept ans après, cela n'existait donc plus.

Il se sentait dévasté, mais elle avait raison. Il n'avait pas su lui présenter l'avenir comme une promesse. Il voulait réagir, mais c'était trop tard. Louise avait parsemé les derniers mois d'indices émotionnels inquiétants, tels des préliminaires à la rupture. Avait-il envie de fonder une famille avec elle ? Il disait oui, bien sûr. Mais il pouvait en douter parfois. Il aimait leur vie libre, intense du présent. Maintenant, Antoine voulait changer. Il essaya de faire comprendre à Louise que tout était possible encore. Mais non, il n'était pas question d'un second souffle entre eux. C'était fini.

« Tu as rencontré quelqu'un d'autre ?

— Non, bien sûr que non », répondit Louise.

2

Quelques jours plus tard, elle était partie. Dans la salle de bains, Antoine regardait le gobelet destiné à recueillir les brosses à dents. Il n'y avait plus que la sienne. La situation était bien réelle. Chaque détail insignifiant prenait des proportions irrémédiables. Il décida de jeter le gobelet, ainsi que tous les objets qui risquaient de souligner l'absence de Louise. Des coussins, des fourchettes, et même une poignée de porte à laquelle elle suspendait des colliers. Après quelques heures d'une vaine agitation, il décida qu'il était préférable de déménager. En quittant l'appartement, il n'éprouva aucune émotion. D'une certaine manière, sa mélancolie l'anesthésiait. Il disait au revoir au décor de son plus grand amour, et la douleur qui battait en lui était sourde.

*

Antoine pensa plusieurs fois à l'enfant qu'il n'aurait jamais avec Louise. La nuit, l'image revenait à lui, telle l'incarnation virtuelle d'un avenir mort. Une fille ou un garçon ? Quel aurait été son prénom ? Jeanne ou Hector ? Impossible de l'imaginer ; c'était un roman qui ne serait jamais écrit.

*

La vie continua, comme il est d'usage de le dire. Antoine prit ses marques dans un bel appartement sur les quais. Certes, il gagnait de mieux en mieux sa vie, mais avait-il besoin d'un espace si grand ? C'était une façon de montrer ou de se faire croire qu'il allait bien, comme si la taille des pièces témoignait de la puissance d'un appétit de vivre. Inconsciemment, il louait un appartement suffisamment spacieux pour d'éventuelles retrouvailles. Au tout début d'une rupture, on peut imaginer que c'est temporaire, on va finir par retrouver ce qui n'existe plus, c'est une crise passagère. C'est une illusion de quelques semaines. Antoine se doutait pourtant que Louise ne reviendrait pas. Au téléphone, elle lui parlait avec une tonalité grave. Elle l'appelait tous les jours : la politesse du désamour. Antoine était devenu un produit électroménager défectueux mais encore sous garantie. Pour ne pas l'encombrer, ou la culpabiliser, il mettait du rose sur ses moments de désespoir. Il lui disait que tout allait bien, elle lui manquait, certes, mais ils avaient sûrement pris la bonne décision. Ce n'était pas tout à fait faux, il lui arrivait de le penser. Certains jours, il aimait un peu sa nouvelle vie ; mais le plus souvent il se sentait rattrapé par une tristesse infinie. Parfois, il se réveillait en pleine nuit, en se demandant ce qu'elle faisait. On est censé tout connaître de la vie de celui ou de celle avec qui l'on forme un couple. Cela peut devenir une drogue dont le sevrage est insoutenable. Où est-elle ? Qui voit-elle ? Que fait-elle ? Contrairement à ses dires, peut-être avait-elle rencontré quelqu'un. Non, ce n'était pas ça. Il avait fini par en être sûr. Elle n'était pas partie pour un autre homme. Louise lui avait préféré la solitude.

Les semaines passèrent, et les messages s'espacèrent ; de petites nouvelles qu'on se demande ici ou là, et puis de moins en moins ; tout ce qui a existé devient alors réellement du passé.

3

Antoine se plongea dans le travail. Il allait souvent voir monsieur Patino, le directeur de l'école, pour lui proposer des idées. Il voulait organiser un grand voyage d'étude en Italie avec un groupe d'élèves, il avait envie de monter un ciné-club où l'on ne passerait que des films sur l'art, il pensait aussi qu'il était nécessaire qu'on invite davantage d'intervenants extérieurs. Rien n'est plus riche que le témoignage d'un artiste, d'un galeriste, d'un critique d'art.

« Mais on n'arrête pas, rétorqua un jour Patino. Encore cette semaine, il y a deux philosophes qui viennent, un sociologue et un écrivain.

— Ah oui, c'est vrai… », admit Antoine.

Le directeur commença à se demander si l'excès d'investissement de son professeur n'était pas le signe avant-coureur d'une implosion.

L'année scolaire venait de commencer. Antoine découvrait toute une nouvelle génération d'étudiants. Des liens allaient se tisser, et certains dureraient. Il adorait croiser d'anciens élèves en ville, et il était toujours heureux d'apprendre qu'Untel allait exposer à Prague ou qu'un autre travaillait à la préparation de la prochaine Biennale de Venise. Il se sentait investi d'une mission, celle de faire éclore les talents. Il était chargé du cours d'histoire de l'art pour les première et deuxième années. Ses amphis étaient bondés, il s'adressait à une foule avide de savoir. Au début de leur relation, Louise aimait s'asseoir discrètement au fond de l'amphithéâtre, sans prévenir Antoine. En plein milieu de son cours, alors qu'il parlait de Munch ou de Mucha, il repérait alors sa femme, qui le fixait avec un sourire. Dès qu'il la voyait il devait placer « jus d'abricot » dans une phrase. C'était leur code, leur jeu. Antoine se lançait alors dans une fugitive digression où l'on apprenait que c'était la boisson préférée de Picasso. Tout le monde se demandait pourquoi il abordait subitement ce détail, mais après tout il était maître de ses conférences. Dorénavant, plus aucun artiste ne boirait de jus d'abricot.

Pour cette nouvelle année, Antoine avait décidé de s'aérer de ses sujets de prédilection[1]. Il ne ferait aucun cours sur Modigliani ou Toulouse-Lautrec. Il remonterait le temps jusqu'au Caravage, avec

1. Fallait-il y voir une autre conséquence de sa rupture ?

un cours intitulé « Caravage au miroir » sur la naissance de la forme du tableau. Et puis un autre, plus contemporain, sur la peinture américaine des années 1970 et 1980, avec l'influence des années punk puis des années sida. Ainsi, il passerait d'un monde à un autre. Antoine avait aussi des classes en travaux dirigés, ainsi qu'une poignée d'élèves dont il était le directeur de mémoire.

Cela au moins n'avait pas changé : enseigner le remplissait d'une joie intense ; il aimait ses élèves. Chaque fois qu'il pénétrait dans une salle de classe, il se sentait en accord avec lui-même ; c'était là qu'il devait être, là et nulle part ailleurs. Il avait été un adolescent solitaire, plutôt mal dans sa peau ; ses parents, sans être vraiment nocifs, l'avaient fragilisé en se montrant trop peu affectueux. Ainsi, il avait le sentiment de s'être construit *tout seul*, et cela pouvait le remplir de fierté. La boulimie de connaissance, d'une certaine manière, avait donné une densité à son existence. Eléonore, sa sœur, avait éprouvé le même flottement originel. Elle s'était mariée jeune, avait eu Joséphine assez vite ; cela avait été une autre façon de pallier le manque de racines. Antoine aimait lui rendre visite, et surtout retrouver sa nièce. Elle sautait toujours dans ses bras en criant « tonton ! ». La saveur inouïe d'être ainsi attendu quelque part.

4

Eléonore ne cessait de lui dire : il faut que tu sortes, il faut que tu rencontres une autre fille, pas forcément une histoire sérieuse, juste coucher, ça te fera du bien. Antoine n'aimait pas évoquer le sujet avec sa sœur, mais elle avait raison. La meilleure chose à faire, c'était de diluer le souvenir de Louise à l'aide d'autres femmes. Mais comment ? Il n'avait jamais été à l'aise dans la séduction. L'idée même d'avoir un « rendez-vous » lui paraissait incongrue.

Il y avait bien Sabine, une des administratrices de l'école. Il déjeunait de temps à autre avec elle, et il avait senti, quand il lui avait parlé de sa séparation, qu'elle y avait vu pour leur relation comme une occasion de changer de tonalité. Antoine aimait bavarder avec elle, mais ne l'avait jamais considérée comme une éventuelle partenaire. Physiquement, elle n'était pas particulièrement jolie, mais il trouvait qu'elle faisait beaucoup d'efforts pour paraître féminine. Il y avait chez elle une énergie solaire, toujours positive. Elle devait adorer se promener dans des brocantes le dimanche, avoir une famille bienveillante et un cousin un peu fou. Quand elle lui proposa de dîner plutôt que de déjeuner, il sentit bien que tout cela était un peu cliché : ils étaient deux collègues célibataires dans une grande ville, alors il était quasiment écrit d'avance qu'ils coucheraient ensemble.

Sabine avait vécu une relation de trois ans avec un homme marié, et pendant trois ans il avait parlé de quitter sa femme ; il en parlait toujours d'ailleurs, mais Sabine était partie, épuisée. Elle avait imaginé qu'elle serait désespérée à l'idée de ne plus le voir, mais ce fut le contraire : un immense soulagement de ne plus rien attendre. Sabine avait vécu soumise à la tyrannie d'une hypothèse de vie qui n'était jamais advenue, et cela lui paraissait à présent absurde d'avoir autant espéré quelque chose d'aussi improbable. Avec un peu de recul, tout devenait évident. L'homme en question n'avait jamais voulu avoir de relation sérieuse avec elle, il l'avait utilisée, tout en lui jouant une sordide comédie sentimentale. Elle avait l'impression d'avoir été humiliée. Heureusement, son tempérament incroyablement positif, au-delà même de toute logique affective, l'avait assez vite fait passer à autre chose.

Sabine avait toujours apprécié Antoine, et peut-être davantage encore depuis qu'elle observait sur son visage un léger voile de tristesse. Il y a des personnes qu'on a envie de consoler, et cela se traduit par une attirance érotique. Elle voulait le rassurer en le déshabillant, en le buvant, en passant la nuit dans ses bras. C'est aussi pour cela qu'elle avait proposé qu'ils se retrouvent dans un restaurant près de chez elle ; elle avait dit que les plats étaient excellents, tout en pensant que la qualité première de ce lieu était son emplacement. Cela faisait plusieurs semaines qu'elle n'avait pas couché avec un homme, et elle voyait en ce dîner un préliminaire. Antoine non plus n'avait pas fait l'amour depuis sa séparation d'avec Louise. Il avait sûrement envie de passer une nuit avec une femme, ne serait-ce que pour tester sa capacité à éprouver les joies du corps. Tout cela propulsait leur rendez-vous dans une énergie plutôt stressante ; ils burent beaucoup d'emblée pour se précipiter dans une ivresse bienveillante.

Ils avaient décidé de ne pas mentionner le moindre collègue, de ne pas aborder l'organisation générale de l'école, d'oublier même qu'ils y travaillaient tous les deux. Il n'y avait rien de moins romantique que de disserter sur sa vie professionnelle lors d'un rendez-vous privé. Ils ne voulaient pas être deux bouchers qui parlent entrecôte. Sabine prit les choses en main, pour s'éloigner du sujet :

« Tu sais, je n'ai jamais osé te le demander… mais…

— Quoi ?

— Est-ce que tu as un lien avec l'acteur Romain Duris ?

— Oui, c'est mon cousin.

— Ah, je l'aime beaucoup. Ça doit être magnifique d'avoir une telle célébrité dans sa famille.

— Oui, et en plus il est très sympa. Il raconte toujours plein d'anecdotes sur ses tournages.

— Et il prépare quoi en ce moment ?

— Un gros film. Américain… Mais il m'a demandé de ne pas en parler.

— Ah oui, je comprends », soupira Sabine, avec un soupçon d'extase dans la voix.

Après Romain Duris, ils enchaînèrent sur leurs goûts cinématographiques, puis musicaux, et pour finir sur leurs romans préférés. Évoquer ce qu'on aime est une manière facile de parler de soi. Progressivement, leur univers culturel dessinait les contours de leur sensibilité. Bien sûr, ils se connaissaient déjà assez bien, mais n'avaient jamais pris le temps de s'intéresser intimement à l'autre. Ils passèrent à des sujets plus personnels, notamment l'enfance. Antoine chassa assez vite le sujet, et Sabine, tout en délicatesse, comprit qu'il ne fallait pas insister. Elle évoqua la mort de son père, quelques jours après ses dix-huit ans, la tragédie de sa vie. Elle prononça quelques mots lentement, avec une intensité subite, si bien qu'Antoine en fut bouleversé. Il se sentait idiot de l'avoir jugée de manière un peu superficielle. Puis, Sabine se mit à parler de l'homme marié avec qui elle avait eu une relation. Elle prit garde à ne pas rendre son récit trop glauque ; se laisser aller à des confidences dévoilant un passé sinistre ne vous met pas en valeur. Elle alla jusqu'à mentir en prétendant avoir été heureuse avec lui :

« Je savais que c'était une impasse, mais ça m'a fait du bien.

— Je comprends.

— Et toi ? Qu'est-ce qui s'est passé avec ta fiancée ? Je croyais que tu filais le parfait amour.

— Eh bien, il faut croire que la perfection a une fin », dit-il, subitement triste, si bien que Sabine comprit immédiatement qu'elle avait commis une erreur en abordant le sujet Louise.

Elle ne put que dire qu'elle était désolée, mais Antoine la rassura :

« Ça va. J'ai eu le temps d'analyser la situation, et c'est sûrement mieux ainsi. Ce qui était compliqué entre nous, c'est qu'il n'y avait pas de raison concrète à notre séparation. Elle n'avait même pas rencontré quelqu'un d'autre…

— Et toi ? » demanda instinctivement Sabine, alors qu'elle connaissait la réponse. Il se contenta de sourire.

Vers la fin du repas, alors que le rythme de la conversation aurait pu accélérer, ils se mirent à parler un peu moins. Les gestes voulaient prendre la place des mots. Ils ne commandèrent pas de dessert. Ils se dirigèrent vers chez Sabine, pas besoin de formaliser ce qui allait se passer. Il n'y avait aucune gêne entre eux, c'était simple et agréable. Antoine se sentait léger, il y avait le vin bien sûr, mais ce n'était pas que ça, il éprouvait ce plaisir de revivre les premiers moments de la séduction. Par ailleurs, découvrir Sabine en soirée changeait tout. La nuit lui conférait un charme surprenant, comme si son corps se dotait de vibrations érotiques dès le coucher du soleil.

Ils étaient à présent dans le salon. Elle ne prit pas la peine d'allumer. Antoine ne distinguait pas le moindre détail de la pièce. Sur le canapé, elle se mit à l'embrasser doucement, en posant une main sur son torse. Moins d'une minute plus tard, elle enleva son chemisier pour se retrouver seins nus. Antoine se mit à les caresser, et Sabine poussa de petits soupirs. Le désir était bien là, mais soudain il se produisit quelque chose d'étrange. Antoine fut envahi par des images de Louise. Comment était-ce possible ? Pendant toute la soirée, il s'était senti de plus en plus heureux et libéré, animé de pulsions sexuelles, et voilà qu'au moment de l'action il éprouvait comme un empêchement. La perspective du plaisir s'accompagnait d'une tristesse soudaine, d'un malaise même. Il avait le sentiment de ne plus souffrir de la séparation, pourtant, au moment de faire l'amour avec une autre femme, un éclair de lucidité le frappa : Louise lui manquait terriblement.

Il recula. « Il y a un problème ? » demanda Sabine. Antoine n'arrivait pas à expliquer ce qui l'encombrait. La main de cette femme était posée sur son sexe, et il aimait cette sensation, mais son esprit était parasité. Il balbutia que ce n'était pas possible, qu'il n'y arrivait pas. Sabine tenta de le raisonner. C'était absurde. On ne pouvait pas arrêter comme ça. Il s'excusa et fit mine de se lever. Elle tenta de le retenir, avec des mots et avec des gestes. Puis elle demanda : « C'est à cause d'elle ? » Il dut admettre que oui. Et il quitta précipitamment l'appartement.

5

Les jours suivants, les deux collègues évitèrent de se croiser. Quand cela se produisit malgré tout, ils échangèrent rapidement quelques banalités. Sabine finit par lui adresser un message : « J'ai passé une soirée merveilleuse avec toi. Je ne t'en veux pas et je t'attends. » Il voulut lui répondre, mais il ne le fit pas.

Il n'était pas prêt à se lier avec quiconque, il le comprenait maintenant. Pourtant, il n'avait pas été question du début d'une histoire, tout du moins pour le moment, mais simplement de passer une belle soirée et de faire l'amour. Quelque chose le bloquait. Certains de ses amis pouvaient coucher sans le moindre problème avec la première fille venue. Il voulait être comme eux, échapper à la dictature du sentiment. Quelques minutes après se l'être formulé, Antoine reçut un message de Louise : « On pourrait peut-être déjeuner la semaine prochaine ? » C'était comme un signe. « Avec plaisir », répondit-il. Il était heureux de la voir, même s'il était toujours dans la confusion. Un jour, il comprenait leur séparation, et le lendemain, elle l'effondrait.

Plusieurs semaines avaient passé depuis leur dernière conversation, mais il avait l'impression qu'elle datait de la veille. Louise était peut-être dans le même état d'esprit que lui ; elle avait voulu cette rupture, mais elle devait se sentir mal, à coup sûr. Avait-elle fui, elle aussi, au moment de passer à l'acte avec un autre homme ? En se confrontant aux autres, ils se rendaient compte qu'ils ne pouvaient pas vivre séparément. De nombreux couples se quittent pour mieux se retrouver. Leur histoire n'était peut-être pas finie.

Ce soir-là, il alla dîner chez sa sœur. Son mari était en déplacement, et Antoine préférait toujours venir en l'absence de son beau-frère. Il n'avait rien contre lui, mais c'était un commercial qui semblait toujours prendre les autres de haut. Selon lui, le métier d'Antoine était davantage un hobby gentillet qu'une activité d'adulte. Sans compter que les discussions finissaient toujours par un « ça gagne combien ? » qui ne tournait pas à son avantage. Bref, il passait plutôt quand la voie était libre. Antoine avait acheté pour Joséphine un livre avec des reproductions des grands classiques de la peinture. Chaque fois qu'il venait, il passait un long moment avec sa nièce avant qu'elle ne s'endorme. Ils regardaient des toiles d'Ingres ou de Vermeer, et la petite fille rejoignait le sommeil accompagnée d'images de beauté.

Une fois revenu dans le salon, Antoine s'installa à table. Sa sœur avait préparé une salade qui ressemblait à une dissertation confuse, bourrée de digressions incompréhensibles.

« J'ai écouté tes conseils, dit Antoine.

— Ah bon ? Lesquels ?

— J’ai passé une soirée avec une fille.

— Très bonne nouvelle ! C’est qui ? Je la connais ?

— C’est Sabine.

— Ah oui… ta collègue. J’ai toujours su que tu lui plaisais. Et alors, c’était bien ?

— Oui, plutôt.

— Tu vas la revoir ?

— Sûrement. »

Antoine avait raconté ce rendez-vous pour rassurer sa sœur, mais il n’avait aucune envie de s’attarder sur le sujet. Et encore moins sur ce qui s’était réellement passé. Il préféra enchaîner sur sa vie professionnelle :

« Je ne t’ai pas dit, mais cette année je propose un cycle de cours sur le Caravage.

— Ce n’est pas vraiment ta spécialité.

— Justement, j’ai envie d’explorer d’autres terrains.

— C’est vraiment une nouvelle vie. Et Louise, tu as des nouvelles ?

— C’est impossible de parler d’autre chose avec toi.

— Oh, pardon.

— On va déjeuner ensemble la semaine prochaine », finit-il par dire de la manière la plus neutre possible.

Ils parlèrent encore un moment. Antoine aimait la compagnie de sa sœur. Ils avaient toujours été proches, mais ces dernières années leur entente s’était renforcée. Il était fasciné par son appétit de vie. Elle travaillait dans une banque, et si son occupation ne paraissait pas passionnante, elle l'évoquait toujours avec enthousiasme. Contrairement à Antoine, elle avait une capacité étonnante à voir le bon côté des situations. Ce qui les rendait très complémentaires. Et c'était encore le cas ce soir : alors qu'Eléonore enchaînait les tisanes, Antoine buvait beaucoup de vin. Il avait tellement envie de s'échapper de lui-même. Elle finit par lui dire qu'il avait assez bu. Mais c'était déjà trop tard, il ne tenait plus debout. Il était préférable qu'il dorme chez elle. Eléonore l'aida à s'allonger sur le canapé, et posa délicatement une couverture sur lui. Elle chuchota : « Tu es quand même un peu fou, toi… » avant de lui souhaiter bonne nuit. Il s'endormit aussitôt et fut réveillé le lendemain matin par sa nièce qui se précipitait sur lui. Il eut le sentiment de n'avoir dormi qu'une minute, comme si cette nuit-là n'avait pas vraiment existé.

6

Antoine avait l'impression que les élèves étaient plus agités cette année. Il y a peu encore, il ressentait l'intensité du silence qui planait au-dessus de l'amphithéâtre. Il captait l'attention de tout un auditoire qui écoutait ses paroles dans une sorte de dévotion. À présent, il entendait régulièrement des murmures ou des chuchotements, sans pouvoir déterminer d'où venaient ces conversations étouffées. Et il n'y avait pas que les paroles. La nouvelle génération avait de moins en moins de patience. Il sentait un déclin de la concentration, on gesticulait ici ou là, on pensait à autre chose si vite. Cela le gênait parfois, mais d'une manière disproportionnée, il s'en rendait bien compte.

Monsieur Patino aimait marcher pendant les intercours à la rencontre des professeurs ou des élèves. Il n'était pas du genre à se cacher dans son bureau ; il ne voulait surtout pas être un de ces technocrates qu'on ne peut approcher que sur rendez-vous. Il se voulait humain et moderne. Il semblait si bien dans sa peau. Cela se voyait avec ses cheveux par exemple[1]. Il était presque chauve, mais assumait totalement l'idée de laisser trois pauvres mèches, survivantes intrépides d'un génocide capillaire, errer telles des âmes perdues dans le royaume d'un crâne lisse. Il ne cherchait même pas à les ramener sur le devant du front comme le font certains, pour donner l'illusion d'une petite touffe encore relativement fournie. Non, il laissait la nature faire son travail de destruction sans se laisser perturber. Son assurance était impressionnante. Et cela se traduisait aussi par la cadence de son pas, précise et rassurante. Il s'approcha d'Antoine :

« Ça va ? Ton cours s'est bien passé ?

1. De manière générale, il semble tout à fait possible d'interpréter la personnalité de quelqu'un en observant simplement la relation qu'entretient cette personne avec ses cheveux.

— Oui, très bien. Tu ne trouves pas que les élèves sont moins assidus cette année ? demanda le professeur, pour partager son impression générale.

— Non, je ne trouve pas.

— On dirait qu'ils viennent étudier l'art comme ils feraient du droit.

— Tu sais très bien que c'est toujours comme ça avec les première année. Ceux qui s'ennuient vont vite lâcher. L'écrémage se fait naturellement.

— Oui, c'est vrai, mais ça chuchote davantage dans les amphis.

— Il ne faut pas que ça te perturbe. Tes cours sont toujours aussi passionnants, l'encouragea-t-il dans un sourire.

— Merci, répondit Antoine sans enthousiasme.

— Tu as des soucis en ce moment ? enchaîna le directeur.

— Non. Pourquoi tu me demandes ça ?

— Je ne sais pas… comme ça. Tu sais que tu peux venir me parler quand tu veux.

— Non, vraiment, tout va bien.

— Bon tant mieux. Allez, je te laisse… »

Patino repartit d'un pas vif vers d'autres échanges furtifs. Antoine demeura un instant sur place. Il avait esquivé les questions personnelles, mais il devait rester vigilant. Sous l'apparence de conversations détendues et amicales, Patino était un redoutable directeur d'établissement. Il sondait sans cesse le moral des troupes, et évaluait discrètement ses employés. C'était un gestionnaire souriant, un de ceux dont on ne peut pas imaginer l'aisance à prendre des décisions brutales, voire inhumaines.

7

Pour des raisons pratiques, Antoine et Louise se retrouvèrent dans un restaurant où ils avaient leurs habitudes. Ce n'était pas forcément la meilleure idée que d'investir un lieu ainsi parasité par le fantôme de leur amour. Ici, ils pouvaient respirer leurs souvenirs. Antoine arriva le premier, et hésita dans le choix de la table. Chacune le renvoyait à un épisode de leur histoire. Celle-là, près de la fenêtre, ils y avaient fêté leur emménagement. À cette autre, plus près du comptoir, ils étaient venus se détendre après que Louise eut passé un entretien d'embauche dans le cabinet d'avocats pour lequel elle travaillait toujours. De l'autre côté, dans le recoin, c'était là où ils aimaient se mettre le plus souvent, pour s'embrasser discrètement. Antoine voulut aller vers cet endroit, mais cela lui serra le cœur, puisque, à présent, ils n'échangeraient plus de baisers. Finalement, il opta pour un emplacement inédit, en plein milieu du restaurant ; une zone neutre.

En entrant, Louise se dirigea aussitôt vers Antoine avec un sourire ; sa tendresse pour lui semblait intacte. Il pensa qu'elle était toujours aussi belle, et peut-être plus encore depuis leur séparation. Au moment précis de se dire bonjour, il y eut une hésitation. Fallait-il se faire la bise ? Après un instant de gêne, elle décida de s'asseoir sans l'embrasser. Il demanda : « Ça te va, cette table ? Ou tu préfères… celle du fond ? » Il y avait bien sûr un sous-entendu dans cette question, fût-il inconscient. Difficile de savoir si Louise avait saisi l'allusion, mais elle répondit : « Non, c'est très bien ici. Ça me va. »

L'endroit était de plus en plus défraîchi. Le propriétaire avait du mal à joindre les deux bouts, semblait-il, et repoussait chaque mois des travaux nécessaires. C'était un restaurant simple, qui proposait des quiches maison et des salades. Le patron les connaissait bien. Il s'approcha d'eux : « Alors les amoureux, ça va ? » Il y eut un blanc très court, et c'est finalement Louise qui enchaîna pour masquer le malaise : « Oui, très bien. Et vous ? Les affaires ? » Il prit alors sa mine dramatique et balbutia qu'il s'en sortait à peine, avec les charges et la paperasse incessante. Aujourd'hui, Antoine et Louise n'avaient pas envie d'être perturbés par les déboires administratifs du restaurateur. Ils avaient l'habitude de l'écouter avec cette compassion dont font preuve les gens heureux. Là, c'était différent. Ils étaient séparés, et ils n'avaient plus la patience de le soutenir à coups de petits gestes rassurants et de moues complices. L'homme finit par abréger sa complainte pour prendre leur commande. Il demanda : « Comme d'habitude ? » Louise puis Antoine confirmèrent. Sur le plan culinaire, rien n'avait changé.

Ils commencèrent par échanger quelques banalités sur la météo, la politique, des amis communs. Il y avait comme une volonté, ou alors était-ce simplement de la peur, de ne pas affronter l'essentiel. Ils ne s'étaient plus parlé depuis un moment, c'était difficile de reprendre ainsi une conversation après une période de silence. Antoine finit par avouer :

« Ça me fait plaisir de te voir.

— Moi aussi.

— Je pense souvent à toi. Tous les jours, à vrai dire.

— Oui… moi aussi. Et aux Beaux-Arts, ça va ?

— Je trouve les élèves un peu différents, mais ça se passe bien.

— Comment ça ?

— Je ne sais pas trop. Moins concentrés, on pourrait dire. Viens assister à un de mes cours, tu verras, fit-il avec un sourire.

— Tu sais, j'ai toujours été impressionnée par ta prestance quand tu parles devant tes élèves. Je ne te l'ai pas souvent dit, mais c'était étrange de ressentir ça. C'était comme s'il y avait deux Antoine. Celui que je connaissais, et celui qui pouvait captiver une assemblée pendant deux heures. Tu étais double à mes yeux.

— Alors tu m'as quitté doublement, répondit-il spontanément.

— Je ne t'ai pas quitté. Nous avons beaucoup

parlé. Tu étais d'accord. Notre histoire n'était plus comme avant… Tu penses vraiment que c'est moi qui t'ai quitté ?

— Je ne sais pas. Quand tu as commencé à émettre des doutes sur nous… je ne pouvais pas faire grand-chose. J'ai suivi le mouvement, parce que j'ai senti ta détermination. Est-ce que tu serais restée avec moi si je m'étais jeté à tes genoux et si je t'avais suppliée ? Non. Je te connais, Louise. Je te connais par cœur. Quand tu prends une décision, c'est que tu as déjà beaucoup réfléchi. Et qu'il est trop tard.

— Tu me connais si bien.

— J'ai sept ans de pratique. Mais je ne te connais pas si bien… Là, par exemple, je suis bien incapable de savoir ce que tu penses, maintenant… »

C'était à Louise de parler. À elle d'expliquer la raison de ce déjeuner. Au moment où elle tentait de rassembler ses idées pour les exprimer de manière cohérente, elle fut interrompue par le patron :

« Ben alors, les amis ? Qu'est-ce qui se passe ? Vous ne mangez rien. Ce n'est pas bon ?

— Si… c'est délicieux, répondit Louise.

— Surtout n'hésitez pas à me le dire, si quelque chose ne va pas… »

Il repartit rassuré. Quelle idée d'avoir choisi ce lieu pour ce rendez-vous si important. Non seulement il comportait trop de traces du passé, mais il était parasité par l'homme le moins fin du monde ;

un homme incapable de comprendre qu'il ne faut jamais interrompre un couple qui ne mange pas au restaurant. Car il y a deux raisons à cela : soit ils s'aiment follement, soit ils évoquent leur rupture. Louise finit par dire d'une voix blanche :

« J'ai rencontré quelqu'un.

— …

— Je ne voulais pas que tu l'apprennes par quelqu'un d'autre. C'est pour cela que j'ai voulu qu'on se voie.

— …

— Antoine…

— Quand est-ce que tu l'as rencontré ?

— Il y a trois semaines. Enfin, on se connaissait déjà… mais ça a commencé il y a trois semaines à peu près.

— Louise, dis-moi la vérité : est-ce que tu m'as quitté pour lui ?

— Mais non, pas du tout. Je te le promets. Je ne t'ai pas menti. Je sentais que notre histoire était dans une impasse. Et c'est une fois seule que j'ai accepté de dîner avec cet homme…

— C'est qui ?

— Un avocat. J'ai plaidé contre lui il y a quelques mois, et nous avons sympathisé. Mais rien de plus.

— Je ne sais pas quoi dire.

— Je suis désolée…

— Si tu m'annonces ça comme ça, c'est que c'est une histoire sérieuse.

— Oui.

— Tu m'as fait comprendre que tu ne me

voyais pas comme le père de tes enfants. Et avec lui, c'est différent ?

— Je ne sais pas. On vient de se rencontrer.

— C'est la dernière fois qu'on se voit, trancha brutalement Antoine.

— Mais…

— Qu'est-ce que tu veux que je te dise ? Je ne veux pas empêcher ton bonheur. Tu es la femme que j'ai le plus aimée. Et contrairement à toi je ne peux pas m'imaginer pour le moment avec quelqu'un d'autre. Ce n'est pas possible. Ce n'est pas possible. Tu comprends ?

— Oui.

— Qu'est-ce qu'il a que je n'ai pas ?

— Je ne sais pas quoi te dire. Je le trouve rassurant.

— Il a quel âge ?

— Quarante-cinq ans.

— Il est beaucoup plus vieux que toi.

— Quinze ans de plus. Et il a une fille de dix-huit ans.

— Une fille de dix-huit ans… Tu l'as rencontrée ?

— Oui, ce week-end.

— Tu vas jouer à la belle-mère alors », soupira Antoine, acerbe.

Louise savait que cela serait difficile, mais elle n'avait jamais vu Antoine ainsi. Elle avait imaginé qu'il serait triste mais c'était différent. On sentait qu'il contenait une rage extrême. Il voulut abréger le moment et quitter immédiatement le restaurant. Il se dirigea vers le patron pour régler. Ce dernier comprit enfin qu'il y avait un problème et préféra ne rien dire. Antoine sortit sans même un dernier regard à Louise. Sa réaction avait été brutale, excessive, mais jamais il n'avait imaginé qu'elle puisse se lancer dans une nouvelle relation aussi vite. Il pouvait comprendre la séparation, mais pas ça. Arrivé chez lui, il envoya un message à Patino pour lui dire qu'il souffrait d'une indigestion et qu'il ne pourrait pas assurer ses cours de l'après-midi.

8

Dès le lendemain, Antoine reprit une vie normale. Il ne mentionnerait à personne, pas même à sa sœur, ce qu'il avait éprouvé au moment de l'annonce de Louise. Il le garderait caché au fond de lui, et peut-être qu'ainsi il parviendrait à oublier. Cette nouvelle donne avait au moins le mérite de clarifier la situation. Il n'y avait plus rien à attendre ni à espérer ; plus matière à flotter dans l'indécision. C'était sûrement mieux. Il avait détesté cette période incertaine, cette zone de transit de l'amour.

Une nouvelle existence commençait. C'était toujours la même, bien sûr, mais tout serait différent. Il fallait simplement en trouver le mode d'emploi. Il allait se plonger davantage encore dans le travail, ne faire que ça, préparer ses cours, approfondir ses connaissances. Il allait vivre dans les allées des bibliothèques, et trouverait sûrement un réconfort en s'armant de connaissances. Il pourrait écrire un livre ; depuis des années, il se passionnait pour le Montparnasse des années 1920. Il avait déjà rédigé une thèse sur Modigliani, il serait peut-être temps d'en faire un roman, pourquoi pas. Une façon comme une autre de lutter contre les pensées sombres.

Ce premier soir de sa nouvelle vie, il envoya un message à Sabine. Il était déjà tard, elle devait dormir ; il fallut croire que non puisqu'elle répondit aussitôt. Elle était le genre de personne qui n'éteint jamais son téléphone de peur d'interrompre le réel. Antoine voulait passer la voir. Cela voulait dire : continuer ce qui avait été avorté. Depuis quelques semaines, ses désirs fluctuaient sans cesse. Enfin, il était traversé par une certitude presque brutale. Il désirait être désiré ; il voulait mordre les heures à l'aide d'un autre corps. Les sentiments ne comptaient plus. Il n'aimait pas Sabine et il ne l'aimerait probablement jamais. Mais vient un moment où ce que l'on veut est moins important que ce que l'on peut avoir.

Sabine avait toujours été persuadée qu'il reviendrait. Non par excès de confiance, c'était plutôt la sensation que leur soirée ne pouvait rester dans l'inachevé. La certitude qu'il manquait un point pour finir une phrase. Elle avait compris qu'Antoine devait digérer sa rupture ; un être sensible et entier était incapable de s'oublier dans le dédale des relations. Elle se trompait totalement sur ce point. Il ne la rappelait pas parce qu'il allait mieux, mais parce qu'il était encore plus mal. Mais au fond les raisons d'Antoine importaient peu à Sabine. Son désir à elle était intact, et c'était bien là l'essentiel à ses yeux[1].

En se retrouvant ainsi, en pleine nuit, ils auraient pu croire que les journées passées à s'éviter n'avaient pas existé. Ils reprenaient là où ils en étaient restés ; pourtant, l'attitude d'Antoine était totalement différente. Il saisit Sabine vivement par la nuque. On sentait qu'il libérait une rage en la pénétrant. Sa vie entière, avec ses frustrations et ses peurs, se jouait dans la mécanique d'un mouvement primaire. Il ne s'était jamais comporté ainsi avec une femme ; c'était un homme plutôt délicat et doux, qui se laissait dériver dans une posture inédite. Sans se montrer pour autant bestial ou sauvage, il voulait jouir sans se soucier réellement de sa partenaire. Sabine ne reconnaissait pas Antoine, et finalement cela l'excitait davantage encore. La distorsion subite du moment accentuait le plaisir. Sabine voulait être froissée, jouissait d'être propulsée dans un monde impoli et vaguement barbare. Jamais elle n'avait ressenti une telle jouissance. Une fois la chose finie, alors

1. Il ne faut jamais chercher à comprendre pourquoi quelqu'un nous désire.

qu'Antoine reprenait sa respiration auprès d'elle, elle n'avait qu'un mot à l'esprit : encore.

Le temps de leur aimable sentimentalité venait de s'achever. Ils ne pourraient plus faire marche arrière vers leurs discussions teintées de pudeur et d'appréciation mutuelle. Antoine se leva pour s'habiller. Il partit sans dire un mot, laissant Sabine hébétée.

9

La journée, ils se croisaient sans se parler. Et le soir, ils se retrouvaient pour faire l'amour. Antoine se livrait à une bataille intérieure. Si cette aventure physique le libérait, elle lui laissait souvent un goût amer. Le bonheur charnel s'accompagnait chez lui d'une effroyable mélancolie. Il pensait à Louise nue avec son nouvel homme. Il se laissait envahir de questions. Était-elle avec l'autre comme elle avait été avec lui ? Lui faisait-elle les mêmes choses ? Il voulait savoir ; une curiosité comme une autre.

Il n'avait qu'une certitude : Louise était heureuse. Étrangement, cela le rassurait. Il n'aurait pas voulu que leur histoire cesse pour laisser place à du médiocre ; si ce qu'elle vivait était intense, alors cela justifiait d'une certaine manière la séparation. Ainsi, l'ordre amoureux s'articulait. Les jours s'écoulaient et la douleur s'atténuait. Elle avait été son plus grand amour et le demeurerait à l'évidence longtemps. C'était déjà magnifique d'avoir pu le vivre. Elle devait se sentir tellement coupable depuis leur dernier déjeuner, et sa réaction brutale. Il résolut de l'apaiser en lui envoyant un message : « Je te souhaite beaucoup de bonheur dans ta nouvelle vie. Tu es une femme merveilleuse. » Louise, enfin libérée de ce poids, en fut émue aux larmes. Elle hésita à lui proposer un rendez-vous. Peut-être pourraient-ils prendre un café ? Non, il était préférable de couper vraiment les ponts cette fois. Ils ne se verraient plus.

Il fallait pourtant avouer un ultime désir. Antoine n'était pas tout à fait à l'aise avec ce qu'il éprouvait. Il était prêt à commencer une nouvelle vie, il admettait que Louise n'avait pas réussi à l'imaginer comme le père de ses futurs enfants et que cela avait précipité la fin de leur union, mais il avait besoin d'un dernier élément pour être totalement libéré : il voulait voir cet homme. Il voulait voir à quoi il ressemblait, peut-être même entendre sa voix. Était-ce grave de ressentir cette nécessité ? Non, cela lui semblait au contraire assez classique. Il ne pourrait pas se reconstruire avec cette vision floue du nouvel environnement de Louise. Il aurait pu lui demander : « Je voudrais rencontrer ton amoureux… » Non, c'était impossible. Elle trouverait cette requête étrange. Ou alors, il pourrait proposer un dîner à quatre avec Sabine, dans une ambiance faussement détendue et des sourires masquant le pathétique de la situation. Mais Sabine n'avait pas cette place à ses yeux. Elle n'était en aucun cas l'équivalent du nouvel homme de la vie de Louise. Comment s'appelait-il, d'ailleurs ? Antoine ne le savait même pas. Il ne savait rien. Sauf qu'il était avocat et qu'il avait une fille de dix-huit ans. Si ça se trouvait, c'était l'une de ses élèves. C'était possible. Il n'avait aucune idée de ce qu'elle pouvait étudier, cette fille. Il ne savait rien, voilà ce qu'il se répétait. Louise aurait pu lui donner davantage de détails, tout de même, expliquer un peu ce qui était mieux dans cette nouvelle vie. Il oubliait au passage qu'il l'avait plantée là sans lui laisser le temps de parler. Mais maintenant, il avait besoin de savoir. Cela l'aiderait. Il voulait bien avancer, oui, il voulait bien rompre avec le passé, d'accord, mais il avait le droit de posséder quelques informations supplémentaires. C'était légitime, voilà ce qu'il se répétait.

10

Après plusieurs soirées, Sabine demanda à Antoine : « Tu ne veux pas qu'on aille dîner quelque part ? Ou alors, on pourrait aller au cinéma ? » Il la regarda comme si elle parlait à un autre homme. Il aurait pu lui dire la vérité, à savoir qu'il n'envisageait rien d'autre avec elle que leurs rendez-vous érotiques, mais il préféra botter en touche. Il prétendit avoir beaucoup de travail en ce moment, et ce n'était pas tout à fait faux. Il avait des copies à corriger, et cela lui prenait une grande partie de son temps. En plus des amphis, il avait trois classes en TD. Deux fois par mois, alors qu'il n'était pas obligé de le faire, il évaluait ses élèves par des QCM ou des dissertations. C'était une façon de faire en sorte qu'ils ne relâchent pas leurs efforts. Certains étudiants paresseux évitaient à tout prix ses cours, et ceux qui voulaient réussir et travailler dur savaient qu'il les y aiderait. Les implications pour Antoine étaient énormes : il passait des heures à corriger des copies, essayant d'être le plus précis possible dans ses annotations. Bien sûr, il aurait pu dégager du temps pour aller au cinéma, ou simplement boire un café avec Sabine, mais plus il faisait l'amour avec elle, plus il ressentait comme une évidence que leur relation devait se borner à ça. Pourtant, il l'appréciait. Ils avaient toujours entretenu d'excellents rapports, ils avaient même été depuis le début davantage que des collègues, des amis presque, mais depuis qu'il jouissait dans sa bouche, depuis qu'elle gémissait sous ses attentions sensuelles, Antoine avait un mal fou à se dire qu'on pouvait dériver d'un monde à un autre sans difficulté. Sabine acceptait la situation, soumise à son propre plaisir. Elle avait toujours pensé que la sexualité devait s'accompagner d'une complicité affective, d'un émerveillement intellectuel mutuel, eh bien non, elle découvrait un peu béatement que faire l'amour ne nécessitait nul épanouissement annexe. Certes, cela ne durerait pas, mais en attendant il fallait s'accrocher aux intermittences de la jouissance.

Antoine préférait passer le reste du temps dont il disposait avec ses amis. Depuis qu'il était célibataire, il les voyait davantage. Le samedi soir, il traînait sans regarder sa montre, plus personne ne l'attendait. Plus la nuit avançait, plus il trouvait que les conversations étaient toujours les mêmes ; on ressassait de vieilles anecdotes ; le passé est un vieux film vu et revu. Il lui arrivait alors de se sentir seul. C'était une impression réelle et effrayante. Chaque relation humaine lui apparaissait d'une futilité totale. Aucun de ses amis ne pouvait le comprendre. Et il ne cherchait même pas à rencontrer une autre femme. Quand il en croisait une qui aurait pu lui plaire, il n'allait jamais lui parler. Il pouvait vaguement espérer que la fille fasse le premier pas mais cela n'arrivait jamais, sauf dans les rêves et les romans.

C'était classique d'éprouver cela au cœur de la nuit, avec l'ivresse. Car, il n'était pas malheureux ; il avait Sabine parfois ; il avait sa sœur souvent ; il avait ses élèves tout le temps. Il trouvait de nombreux plaisirs ici ou là. Il adorait marcher dans sa ville, arpenter les rues, découvrir de nouvelles impasses. Le soir après les cours, c'était son moment préféré. Il longeait le Rhône, passait devant les bateaux qui faisaient escale le temps d'une soirée. Il observait de vieilles femmes sur leur petit balcon, rangées dans leurs cases flottantes. Il leur faisait un petit signe amical ; il y a une connivence tacite qui se crée entre les passants et les passagers ; peu importe le moyen de locomotion, on se doit de faire un geste en direction de ceux qui voyagent. C'était ce chemin qu'Antoine empruntait quand il allait chercher Louise à son travail. Toujours porté par son désir de connaître sa nouvelle vie, il décida ce soir-là de continuer sa promenade jusqu'à son bureau.

Le cabinet d'avocats était situé dans un immeuble en face du palais de Justice. Antoine s'installa à une terrasse d'où il pouvait guetter la sortie de Louise. Il faisait étonnamment beau pour un jour de novembre. En buvant un café, Antoine observa des innocents et des coupables descendant les grandes marches du Palais. Les avocats couraient toujours un peu, comme s'il fallait virevolter pour être un prince de la plaidoirie. Enfin, Louise sortit de l'immeuble. Antoine fut ému de la voir au loin, sa silhouette se dessinait dans un léger flou, et pourtant, il était capable de discerner les moindres détails de son visage. Elle attendait. Quelques minutes plus tard, elle fut rejointe par son compagnon. Antoine fut surpris de découvrir un homme aux cheveux gris. Il paraissait plus vieux que son âge. Mais pourquoi pas. C'était le choix de Louise. Il n'avait pas à juger de la couleur des cheveux de sa nouvelle vie. Voilà, c'était juste ça que voulait voir Antoine. Cela lui faisait mal sûrement, mais c'était ainsi.

Il continua à les observer. L'homme déposa un baiser sur la nuque de Louise, et ils se mirent à marcher. Tout entre eux avait l'air si simple.

Antoine paya son café, et se leva pour les suivre. Une seule fois, rien qu'une seule fois. Juste pour savoir où ils habitaient. Connaître le décor de ce bonheur. Ce besoin ne lui paraissait pas extravagant.

11

Alors qu'il restait à bonne distance pour ne pas se faire repérer, il fut abordé par une jeune fille :
« Bonsoir, monsieur Duris.
— Bonsoir, répondit Antoine, tout en regardant Louise s'éloigner.
— Cela me fait plaisir de vous revoir.
— Oui… moi aussi, dit-il sans trop savoir à qui il parlait, et en tentant de continuer son chemin.
— Vous savez, vos cours ont eu une grande influence sur ma vie.
— Merci beaucoup… », répondit-il machinalement.

Ces quelques mots avaient ralenti Antoine, au point qu'il avait perdu la trace de Louise. Ce n'était pas grave. Rien ne pressait. Il pourrait revenir le lendemain, ou un autre jour. Il avait déjà grandement assouvi son besoin d'en savoir plus. Il avait eu la confirmation éclatante de son bonheur, de cette vie qu'elle vivait loin de lui. Au fond, avait-il besoin d'autre chose ? Simplement de savoir où ils habitaient. C'était le dernier élément dont il voulait disposer. Ils devaient vivre à trois dans une harmonie adorable. Louise devait être une belle-mère parfaite. Les deux femmes faisaient sûrement du shopping ensemble, le samedi. La vie rêvée, en somme.

Son errance digressive finit par être stoppée par le déroulé biographique de l'ancienne étudiante :

« J'ai eu la chance de partir six mois à New York au musée Guggenheim, c'était une expérience magnifique.

— Oui, sûrement.

— C'est incroyable que je tombe sur vous comme ça, car je ne suis que quelques jours à Lyon. Je pars vivre à Hambourg dans une semaine.

— Ah… très bien.

— Je vais être guide francophone au musée d'Art moderne. Il est sublime. Je suis allée le visiter il y a deux mois, pour prendre mes marques… »

La jeune fille enchaînait les phrases avec un tel débit qu'il était difficile pour Antoine de réagir autrement que par onomatopées. À l'écouter, elle avait suivi ses cours en amphi, mais aussi en TD. Il ne comprenait pas pourquoi il ne se souvenait plus du tout d'elle. Il joua la comédie sociale, en faisant semblant de savoir exactement qui elle était, mais vraiment, il avait beau chercher, rien, pas la moindre trace de cette fille dans sa mémoire. C'était d'autant plus incompréhensible qu'elle était séduisante. Certes, son babil incessant épuisait un peu Antoine, et altérait son charme, mais c'était une jeune femme tout à fait désirable. Il était célibataire, elle l'admirait, qui sait, peut-être pourraient-ils passer la soirée ensemble ?

Elle fut ravie de la proposition de son professeur : boire un verre avec lui, quelle chance ! Elle songea avec émotion à la majesté du hasard. Ils s'installèrent à la terrasse qu'Antoine venait de quitter. On aurait pu croire à un signe du destin tentant de panser les plaies : au moment où il observait Louise avec son nouveau fiancé, on lui avait envoyé une jeune et jolie fille débordant d'admiration. Le destin voulait équilibrer les avenirs, en quelque sorte. Au moment de commander la boisson, la jeune fille[1] lui demanda :

« Je peux vous poser une question ?

— Oui.

— Votre histoire de jus d'abricot comme étant la boisson préférée de Picasso, c'était n'importe quoi, non ?

— Je…

— Vous pouvez me le dire maintenant. Il y a prescription ! Je ne répéterai rien. Mais je suis sûre que c'était un message codé entre vous et quelqu'un dans l'auditoire. Je me trompe ?

1. Antoine n'avait toujours pas la moindre idée de son prénom, et il sentait bien qu'il était trop tard maintenant pour le lui demander. La bonne humeur qui s'installait entre eux serait incontestablement gâchée par un « et au fait… peux-tu me rappeler comment tu t'appelles ? ».

— Non… vous avez raison », dit-il d'une voix blanche.

Alors que cette fille respirait la promesse d'une belle soirée, elle venait de le renvoyer à son insu au temps de l'insouciance, au temps où Louise venait se faufiler par surprise entre ses étudiants. Antoine chassa aussitôt le nuage nostalgique qui voulait assombrir son visage.

Le temps passa sur eux comme sur des amis ayant tant à se raconter. La jeune fille pensa plusieurs fois qu'il était surprenant que cet homme si éminent n'ait rien de prévu ce soir-là. Elle le croisait dans la rue, et il était libre. Si elle avait été moins jolie, il aurait probablement écourté le moment. Pendant qu'elle parlait, il jetait furtivement des regards pour détailler son corps. Cette fille était sublime. Plus la soirée avançait, plus il se demandait comment il avait pu l'oublier. En plus, c'était vraiment plaisant d'entendre une jeune fille désirable vous envoyer aux oreilles une multitude de compliments ; elle évoquait ses cours avec des trémolos dans la voix. C'était la première fois qu'il vivait ce genre de situation. Du temps de son histoire avec Louise, il ne s'était jamais posé la question de savoir s'il pouvait plaire ou non. Il avait vécu avec les œillères heureuses de la fidélité. À présent, c'était comme un nouveau monde qui se révélait. Cette fille allait partir pour Hambourg, elle l'admirait follement, il y avait tout pour vivre un moment magique. Il y avait tout pour arracher un peu de beauté à la monotonie.

Il s'approcha d'elle, et posa sa main sur son bras.

« Qu'est-ce que vous faites ? demanda subitement la fille.

— Rien. Je me disais juste qu'on pouvait peut-être continuer la conversation chez moi.

— Chez vous ? Mais pourquoi ?

— Je ne sais pas… pour être tous les deux.

— Mais on est tous les deux… là… dans ce café.

— … »

Soit elle faisait exprès de ne pas comprendre, soit elle n'en avait pas du tout envie. Antoine perçut immédiatement un changement dans l'attitude de la jeune fille. Elle parut moins enthousiaste, pour ne pas dire profondément déçue. C'était incompréhensible. Elle n'avait cessé de le couvrir d'éloges, si bien qu'il s'était autorisé cette audace. Il avait confondu l'admiration et le désir. Aux yeux de l'ancienne élève, il représentait non seulement l'autorité asexuée, mais tout simplement un homme bien trop âgé pour elle. Elle avait bien sûr compris l'allusion d'Antoine, et prétexta quelques minutes plus tard qu'elle devait rentrer. Elle prétendit avoir passé une excellente soirée, mais il ne fallait pas être très perspicace pour en sentir la déception finale. Ce rendez-vous avait pris l'allure du Titanic, s'enfonçant subitement dans une eau glaciale. Cet homme n'avait peut-être écouté ses histoires que dans le but d'obtenir une issue sensuelle à la soirée. Cela la dégoûtait presque.

Elle serra la main d'Antoine avec un sourire poli. Il la regarda partir, se disant qu'il n'avait jamais dégringolé si vite dans l'estime d'une personne. Avec Louise, cela lui avait pris des années ; là, en l'espace d'une heure, il était passé de la flamboyance à la médiocrité. Ses déchéances s'accéléraient.

12

Il y a toujours un flottement quand on change de vie. *Il faut prendre ses marques*, comme les gens aiment à le dire. Antoine détestait ces expressions toutes faites ; il était prêt à tuer quiconque lui parlerait de *refaire sa vie*. Il devait trouver une façon d'aborder les relations humaines sous un angle différent. En d'autres termes, vivre en couple l'avait plongé dans une sorte de mécanique sociale, et il devait maintenant tout réorganiser. La déconvenue avec son ancienne étudiante en était l'exemple type. Antoine n'avait pas été particulièrement grossier ou imbu de lui-même, non, il avait simplement manqué de lucidité. La compréhension des autres, la lecture de leurs comportements, voilà sur quoi devrait travailler Antoine dans sa recomposition émotionnelle.

Seul son environnement professionnel était immuable. Sa trajectoire intellectuelle n'avait pas été modifiée par sa trajectoire sentimentale.

L'enseignement favorise parfois une double personnalité, car il s'agit aussi d'être en représentation devant les élèves. Louise le lui avait dit lors de leur déjeuner ; elle voyait deux Antoine. Et c'était sûrement la raison pour laquelle sa vie aux Beaux-Arts ne semblait pas soumise à son effondrement personnel. Il était loin d'être le seul enseignant à baigner dans cette forme de schizophrénie. Il y a quantité de professeurs autoritaires qui respirent la souplesse le dimanche. Ou encore des énervés de la méthode qui se noient dans un verre d'eau dès la fin des cours. Antoine pouvait ainsi être une autoroute à l'université, alors que le reste de sa vie ressemblait à une succession de départementales, de chemins de terre, et parfois même d'impasses.

Il aimait être à l'écoute des élèves : leurs rêves, leurs désirs, leurs espoirs. C'était parfois compliqué. La nouvelle génération lui semblait déjà si éloignée de la sienne. Il n'avait pas quarante ans, et pourtant il percevait un fossé profond. La plupart de ses étudiants se destinaient à des carrières dans la conservation du patrimoine ou la gestion d'établissements culturels. Mais il y avait aussi des artistes qui estimaient ne pas pouvoir imposer leur empreinte sur le présent sans avoir une connaissance précise du passé. Ceux-là n'avaient aucune obligation de s'inscrire aux TD d'histoire de l'art. Mais la réputation d'Antoine était excellente. Beaucoup appréciaient la façon qu'il avait de s'intéresser à chaque élève, de le considérer, d'être à son écoute sans le juger. Quand il corrigeait ses copies, Antoine passait du temps à trouver le mot juste dans ses annotations. Il aimait se retrouver le soir ou le week-end avec toutes ces pensées originales, et il alternait des moments de réelle admiration devant la pertinence de telle ou telle réflexion et des moments de pur agacement devant l'approximation ou la désinvolture d'un commentaire. Louise lui disait tout le temps qu'il ne corrigeait pas les copies, mais qu'il les vivait.

13

Après plusieurs jours d'hésitation, Antoine décida de reprendre ce qu'il avait dû abandonner. Il voulait savoir où habitait Louise, persuadé que cela lui ferait du bien pour définitivement *tourner la page*[1]. Il s'installa à la terrasse du même café. Et les choses se produisirent de façon identique. Louise sortit de l'immeuble, attendit un peu l'arrivée de l'homme. Il l'embrassa sur la nuque, exactement comme la première fois. Il s'agissait pourtant de deux humains en pleine possession de leur capacité à varier leurs gestes. Il y a sûrement dans les premiers jours d'un amour un sens

1. Antoine trouvait également cette expression totalement absurde. Rien n'est plus facile, au sens propre, que de tourner une page. C'était incomparable avec le sens figuré, qui évoquait une rupture majeure avec le passé. Dans ces cas-là, on devrait plutôt dire : *changer de livre*.

étourdissant du rituel, comme s'il ne fallait surtout pas mettre en péril la subtile mécanique d'un bonheur naissant.

Ils partirent dans la même direction que la fois précédente. Leur allure présentait toujours cet attelage paradoxal, à la fois pressé et rêveur ; ils voulaient rentrer vite tout en profitant de leur errance à deux. Antoine se souvenait bien de ces moments. Au début de son histoire avec Louise, il l'attendait aussi à la sortie de la faculté, et quand ils se retrouvaient, le trajet le plus insipide prenait une tournure merveilleuse. Cela paraissait à la fois si lointain et si présent, comme si la rupture avait gommé les années de lassitude pour ne laisser apparaître que l'éclat du parfait.

Cette fois, aucune étudiante admirative ne vint interrompre la filature. Antoine demeurait à une distance mesurée pour ne pas être repéré. Un instant, il s'arrêta. Que penserait Louise si elle le voyait ? Elle entrerait dans une grande colère, c'était certain. Il nierait, bien sûr, mais le doute se serait installé, transformant la tristesse de leur séparation en quelque chose d'inquiétant, pour ne pas dire de malsain. Heureusement, elle ne remarqua rien. Cette partie de Lyon était parfaite pour une poursuite discrète et suffisamment éloignée. Le couple longeait le quai Victor-Augagneur et non les ruelles de la vieille ville. Ils traversèrent le pont Lafayette, tournèrent à droite rue de la République, pour prendre la rue Neuve sur leur gauche. Là, Antoine accéléra le pas pour éviter de les perdre. Il avait laissé une bonne distance de sécurité après le passage du pont. Au moment où il parvint au croisement avec la rue Neuve, il vit le couple entrer dans un immeuble. C'était donc là. Il pensa un instant à la symbolique sans appel du nom de cette rue.

Antoine songea à s'approcher de l'entrée de l'immeuble, mais cela lui parut trop risqué. Et si Louise ouvrait la fenêtre ? Elle le repérerait immédiatement. Il finit par trouver un endroit assez protégé d'où il pourrait voir le bâtiment sans être vu. Il perçut quelques lumières dans les appartements, mais ne parvint pas à distinguer le couple. Ils vivaient peut-être de l'autre côté, oui, ça devait être ça, bien au calme, avec une vue sur un jardin ou une cour intérieure. Que faire ? Cela n'avait aucun sens. Il avait vu l'autre homme, il avait vu Louise heureuse. Cela suffisait, il pouvait repartir maintenant.

Comme un puits sans fond, il fut alors animé d'un nouveau désir. La belle-fille. Il voulait voir son visage. Mais il n'allait pas faire le guet ici tous les jours. Elle était peut-être chez sa mère ce soir-là. Au moment précis où il se formulait cette pensée, Louise, accompagnée de son homme et de sa belle-fille, sortit de l'immeuble. Le cœur d'Antoine s'arrêta de battre. Il se tassa sur lui-même. Heureusement, le trio s'éloigna sans passer devant lui. Antoine reprit ses esprits, et se mit à les suivre. Son corps tremblait, il ne savait plus très bien pourquoi il était là. Ah oui, pour voir la nouvelle vie de Louise. Il n'avait pas eu le temps d'observer avec attention la jeune fille ; mais elle ne lui disait rien ; a priori, ce n'était pas une de ses étudiantes. Quelques mètres plus loin, ils entrèrent dans un restaurant chinois, et la nuit tomba.

Encore une fois, Antoine se positionna à un endroit d'où il pouvait voir la scène sans être vu. Ce fut plutôt facile, car le trio s'était installé près de la vitrine. Il y avait Louise d'un côté, le père et sa fille de l'autre. La serveuse leur adressait de grands sourires, signe qu'ils étaient des habitués du lieu ; Louise et ses nouvelles habitudes. L'homme se leva, sûrement pour aller aux toilettes, et les deux filles restèrent en tête à tête. Antoine ne put que constater leur connivence. La fille parlait sans cesse, se confiait sûrement, et Louise faisait ces petits hochements de tête qu'Antoine connaissait par cœur ; elle était compréhensive, et finit par dire quelque chose, un conseil ou un sentiment personnel, que la jeune fille sembla apprécier. Le père revint, et les plats arrivèrent presque en même temps, dans un ballet du bonheur.

Dînant derrière cette vitre, ils étaient comme dans un cadre majestueux. Un moment de vie où la plénitude est attrapée en plein vol. Antoine qui passait son temps à analyser des tableaux se retrouvait face à une œuvre aérienne, où rien ne semblait manquer. Il y avait la connivence et la simplicité. Le décor même, qui aurait pu être grossier, ne l'était pas. Antoine observa un long moment la jeune fille de dix-huit ans. Elle semblait épanouie, comme une enfant profondément aimée par ses parents. Il ne se souvenait pas d'avoir jamais dîné avec ses parents dans un restaurant. Cette famille parfaite lui sautait à la figure, et il ne voyait qu'une chose maintenant : la chaise vide à côté de Louise. C'était le signe de son absence. La preuve qu'il n'était pas convié dans cette nouvelle vie.

14

Antoine ne voulait plus voir Sabine. Il sentait de plus en plus qu'elle attendait davantage. À un autre moment de sa vie, peut-être, il aurait pu vivre avec elle ; mais là, ses attentes l'oppressaient. De la même manière que Louise ne l'avait pas vu comme le père de ses enfants, il ne se voyait pas former une union stable avec Sabine. Il n'y avait pas toujours d'explications aux évidences du cœur.

Il lui fallut mettre des mots sur sa décision. Il parla d'un fossé qui s'était creusé entre leurs envies. Un couple ne pouvait pas être une union solidaire contre l'ennui. Sabine avait compris depuis un moment. Ils se mirent d'accord pour un dernier rendez-vous, qui fut plus doux que torride. On pouvait même parler d'une certaine tendresse. Ainsi, ils se séparèrent sans heurt, bien qu'avec une certaine amertume du côté de Sabine. La question était de savoir s'ils pouvaient reprendre leur relation initiale. Pouvaient-ils déjeuner de temps à autre, parler de manière anodine de l'école ou de leur week-end, après avoir autant fait l'amour ? Ils n'y arriveraient pas. Le silence allait maintenant cimenter leur relation. Le sexe avait détruit tout ce qui auparavant les unissait.

Parfois, ils se retrouvaient lors de réunions administratives. Ils prenaient alors soin de se positionner chacun à une extrémité de la table ; une attitude qui semblait d'autant plus absurde que tout le monde connaissait leur ancienne connivence. Cette distanciation soulignait une rupture au lieu d'accompagner la discrétion d'un évitement. Les rumeurs de leur aventure alimentèrent les couloirs des Beaux-Arts, jusqu'au moment où un nouveau couple excita davantage les murmures. Ils n'existaient même plus dans les ragots.

Aussi étrange que cela puisse paraître, au vu des derniers jours, Antoine allait bien. Comme libéré d'un poids. Il avait eu besoin de cette histoire avec Sabine, il avait eu besoin de suivre Louise. Deux mouvements qui pouvaient paraître différents mais qui relevaient d'une même nécessité, celle d'écouter ses intuitions pour survivre au séisme intime. À présent, il voulait refaire tout ce qu'il ne faisait plus, aller au cinéma ou lire dans les parcs. C'est un sentiment que l'on peut éprouver quand on sort indemne d'une période noire. Il se rendait compte qu'il venait de traverser une zone de turbulences comme il n'en avait jamais vécu. Une zone qui lui avait imposé une totale remise en question. Pour la première fois, il se sentit même adulte.

15

Contrairement à ce qu'il avait initialement pensé (il fallait aussi admettre l'imprécision de ses instincts), les nouveaux élèves n'étaient pas particulièrement dissipés. Par le prisme de son malaise général, il avait vu ici ou là des agressions fictives. L'une de ses classes de travaux dirigés était même composée d'étudiants particulièrement investis. Cela le rendait heureux. Chaque cours lui semblait une réussite. Il y avait du répondant, beaucoup d'interaction, une véritable émulation collective. Plusieurs fois, il avait dérivé du programme prévu pour lancer des discussions sur telle ou telle exposition se déroulant à Lyon. Antoine avait envie de les pousser dans leurs retranchements, de tout faire pour qu'une pensée ne soit pas une fulgurance mais plutôt le fruit d'un cheminement intellectuel.

Au cœur de cette classe, il y avait une jeune fille qu'Antoine trouvait particulièrement brillante. Il y a des rêves qui traversent son visage, avait-il pensé, sans trop savoir ce que cela voulait dire. Malgré cette façon qu'elle avait de paraître ailleurs, il était impressionné par l'étendue de sa culture et par sa capacité de concentration. Il n'était donc pas surpris qu'elle lui ait rendu le meilleur travail au dernier devoir sur table. Antoine était passé entre les élèves pour rendre les copies, tentant d'avoir un mot pour chacun, qu'il soit de déception ou d'encouragement. Quand vint le tour de Camille, il enchaîna quelques phrases très élogieuses. La jeune étudiante ne suscitait pas de jalousies, au contraire, tout le monde trouvait qu'elle méritait cette place au sommet des notations, et elle fut félicitée. Habituellement réservée, elle eut ce jour-là un immense sourire en recevant sa copie.

TROISIÈME PARTIE

1

Quand Camille Perrotin retrouva sa mère ce soir-là, son sourire ne s'était pas encore effacé.

2

Depuis peu, elle vivait seule dans un meublé près des Beaux-Arts, mais elle aimait rentrer le week-end chez ses parents. Ils vivaient dans un pavillon de la banlieue lyonnaise. À vrai dire, pendant toute son adolescence, Camille avait surtout vécu avec sa mère. Son père était représentant en assurances, et disparaissait régulièrement quatre ou cinq jours d'affilée. Entre Isabelle et sa fille, c'était l'interrogation quotidienne : « Il est où, papa ? » Aucune ne savait répondre. Dijon, Limoges, Toulouse, est-ce que cela importait finalement ? Il n'était pas là, c'était ce qui comptait. La mère de Camille était infirmière au centre hospitalier Saint-Joseph Saint-Luc ; son quotidien n'était qu'un réservoir à complaintes. Elle rentrait lessivée le soir, et admettait qu'elle n'avait pas toujours eu beaucoup d'énergie à consacrer à sa fille. Quand elle vit le visage heureux de Camille ce soir-là, elle en fut bouleversée. Elle l'interrogea : « Une bonne nouvelle ? » La jeune fille ne répondit pas ; elle ne voulait pas partager ce rare bonheur de peur qu'il ne se dilapide par les paroles. Elle avait déjà été complimentée par son professeur, mais pour la première fois elle se sentait en mesure d'apprécier cette reconnaissance. Depuis qu'elle avait intégré les Beaux-Arts, elle allait de mieux en mieux ; et elle aimait particulièrement les cours de monsieur Duris.

Ce sourire, Isabelle y repensa un long moment une fois que Camille eut quitté la pièce. Elle échangea quelques messages avec son mari, ce qui n'était pas dans leurs habitudes. Il leur arrivait de ne pas se parler pendant plusieurs jours. C'était plutôt étrange dans un couple, mais ils ne voulaient pas se forcer, poser des questions mécaniques dont les réponses ne les intéressaient pas forcément. Les péripéties médicales de sa femme ne passionnaient pas Thierry, tout comme Isabelle n'était pas curieuse de connaître les itinéraires de son mari. Ils allaient à l'essentiel. Cela conférait à leur relation un côté qui aurait semblé abrupt à d'autres mais qui leur convenait parfaitement.

Pourtant, ce soir-là, Isabelle avait envie de raconter le sourire de Camille. Et Thierry en posa sa fourchette sur la nappe en papier. Il était seul au milieu de la grande salle de restauration d'un hôtel Ibis, en train de finir le plat principal de la formule spécialement conçue pour les VRP. Cette nouvelle lui mit du baume au cœur. Il eut même l'impression de l'entendre, ce sourire. Parfois l'apparition de ce que l'on a longtemps espéré transforme le silence en vacarme.

En empruntant les mêmes chemins de la mémoire, Isabelle et Thierry se rappelèrent les dernières années. Il était difficile de savoir à quel moment les choses avaient basculé. Leurs opinions différaient d'ailleurs sur ce point. La mère pensait que Camille avait plongé subitement dans une sorte de léthargie, alors que le père estimait que sa morbidité était arrivée progressivement. Peu importait. Le résultat était le même. Camille n'était plus la petite fille joyeuse de son enfance ; l'insouciance s'était échappée d'elle.

Isabelle avait passé des heures sur Internet, essayant de comprendre ce qui se passait, comparant la vie des autres aux symptômes qu'elle croyait repérer chez Camille. Schizophrène, bipolaire, dépressive ? Les témoignages étaient plus effrayants les uns que les autres. Il valait mieux arrêter de surfer sur ces forums et prendre enfin un avis médical. Le généraliste de la famille n'y connaissait pas grand-chose en dérèglements psychiques mais il voulait aider[1]. Il prenait toujours un air très sérieux, comme s'il désirait qu'on lise ses diplômes sur son visage. Il s'adressait à Camille comme à une enfant :

« Dis-moi ce qui ne va pas. Ta mère me dit que tu ne manges presque pas. Tu as mal quelque part ?

— … »

Camille venait alors d'avoir seize ans. Depuis plusieurs semaines, son comportement inquiétait ses parents. Elle qui avait toujours été une élève brillante rechignait à aller au lycée. Sa mère ne cessait de lui demander s'il s'était passé quelque chose. Non rien, non rien, répétait-elle. Elle ne voulait plus se lever, c'était ainsi. Un jour, elle avait fini par murmurer : « Je sens en moi un poids impossible à soulever. » Sa mère avait déjà entendu ce genre de propos à l'hôpital, de la part de patients en dépression. Chaque geste devenait d'une lourdeur insoutenable. Isabelle s'imagina qu'il fallait aider sa fille dans son quotidien, faciliter le moindre de ses mouvements, elle pourrait ainsi retrouver de l'énergie. Elle voulait la déposer le matin au lycée, venir la chercher le soir. Cela ne changeait rien ; Camille ne voulait pas sortir de son lit. Isabelle en éprouvait un épouvantable sentiment d'impuissance.

1. Lui, son domaine c'était plutôt les bronchites, y compris aiguës.

Assis près de Camille, le docteur ne savait pas quoi dire. Alors il prit sa tension, tâta un peu ses ganglions, la fit tousser, se relever, puis se rallonger ; il tentait de cacher son incompréhension par des gestes familiers. Les analyses de sang étaient normales.

« Tu peux tout me dire. Tu sais bien que je suis un ami de la famille. Je te connais depuis que tu es toute petite.

— Je sais.

— Alors, dis-moi ce que tu as. Dis-moi où tu as mal.

— Je n'ai pas mal », fit Camille sur un ton définitif, espérant ainsi mettre un terme à la consultation. Elle voulait qu'on la laisse tranquille. Quand elle était seule et plongée dans le noir, la douleur devenait presque supportable.

Mais sa mère ne pouvait pas baisser les bras. « Ma chérie, je t'en prie… dis au docteur ce qui ne va pas… tu me l'as dit hier… que tu n'étais pas bien… » Rien à faire. Autant essayer d'examiner un mur. Le médecin se leva, adressant un signe à Isabelle. On aurait pu croire qu'il avait été frappé par la grâce du génie médical et venait de trouver la solution. La mère s'approcha, il chuchota : « Parfois, les enfants ne veulent rien dire en présence des parents. Tu ferais peut-être mieux de nous laisser tous les deux. Il faut essayer… » Isabelle s'exécuta.

Le médecin ressortit quelques minutes plus tard, accompagné de toutes ses tentatives stériles pour faire parler la jeune fille. On sentait bien qu'il avait envie de dire : « Elle n'a rien. Elle essaye juste de faire son intéressante comme toutes les petites pisseuses de son âge », mais face à la mine inquiète de la mère, il était préférable de se contenir. Il préféra se lancer dans l'expression de quelques banalités :

« Tu sais, je crois que c'est assez classique à l'adolescence.

— Tu crois ?

— Oui. On sort de l'enfance qui est comme un paradis. On est choyé, on est le centre du monde. Mais après, il faut grandir. On se rend compte que la vie est difficile. Je me souviens que moi aussi j'ai eu des coups de blues à cet âge-là. Non, vraiment, Isa, rassure-toi… C'est une déprime très classique. J'en vois beaucoup à mon cabinet, des adolescents qui deviennent gothiques et s'habillent tout en noir.

— Mais Camille ne fait rien de tout ça.

— Je sais. Mais le mal-être fait partie de cet âge. Certains fument de la drogue, d'autres restent au lit. Franchement, tu as presque de la chance, ça pourrait être pire. Dis-toi juste que c'est un mauvais moment à passer.

— J'espère que tu as raison.

— Fais-moi confiance. Il faut essayer de lui changer les idées.

— Elle ne veut plus rien faire.

— Et l'école ? Elle a loupé beaucoup ?

— Plus d'une semaine déjà. Je voulais qu'elle y aille ce matin. Elle m'a fait une crise. Je ne sais plus quoi faire.

— Je peux lui prescrire des anxiolytiques, mais je ne suis pas sûr que ce soit la solution. »

Après un court silence d'hésitation, il reprit :

« Tu devrais peut-être consulter un psychiatre.

— Elle n'est pas folle.

— Je n'ai pas dit ça. Je sais très bien qu'elle n'est pas... mais elle a besoin d'un suivi, sûrement. En tout cas, son problème ne relève pas de la médecine générale.

— Je ne te comprends pas. Tu viens de me dire que c'est une déprime classique, et maintenant tu veux l'envoyer consulter...

— Je cherche une solution avec toi. Il faut essayer différentes possibilités, c'est tout ce que je dis. Et le dessin ? Ce n'était pas sa passion ?

— Si, mais même ça, c'est fini. Elle n'aime plus rien, on dirait. »

Le médecin fut subitement traversé par une interrogation :

« Tu es sûre qu'il ne lui est rien arrivé ?

— Quoi ?

— Tu es sûre qu'il ne s'est rien passé dans sa vie ?

— Comme quoi ?

— Je ne sais pas. Rien de précis. Une histoire de garçon... ou je ne sais pas...

— Mais non, elle me l'aurait dit. On se dit tout. »

Cette phrase fut prononcée sans conviction, tant Isabelle sentait à quel point sa fille lui échappait. À vrai dire, c'était bien pire que cela : elle ne la reconnaissait plus. Elle finit par dire :

« Tu crois qu'elle m'aurait caché quelque chose ?

— Peut-être, je ne sais pas. Elle n'a pas un journal intime ?

— Non.

— Un compte Facebook ?

— Il est désactivé, je crois.

— Tu crois ou tu es sûre ?

— Je suis sûre.

— Cherche un peu. Appelle ses amis. Tu trouveras peut-être quelque chose.

— Oui, répondit Isabelle, en se disant que cette intrusion dans la vie de sa fille était à envisager.

— Je suis là en tout cas, pour toi, pour vous.

— Merci pour tout. »

Le médecin s'approcha d'Isabelle avec un geste amical. Elle lui proposa un verre, mais il préféra partir. Il était très ami avec Thierry, et même s'il n'y avait rien d'ambigu dans la situation présente, quelque chose le gênait. Sans qu'il sache vraiment quoi. L'atmosphère peut-être. La lourdeur sûrement. En y réfléchissant davantage, il se dit qu'il ne s'agissait pas là d'une crise d'adolescence classique. Quelque chose de grave avait dû se produire.

3

Un peu plus tard, le même soir, Thierry rentra. Sa femme lui raconta le rendez-vous avec le médecin. Selon lui, aucun spécialiste ne pourrait apaiser sa fille. Pendant sa dernière tournée, il n'avait cessé de penser à elle, pour en conclure qu'il était le seul à pouvoir agir. Lui, son père. Il allait essayer de travailler moins. « Ma fille a besoin de moi », dit-il simplement. Il était plus de vingt-deux heures, pourtant, il décida d'aller parler à Camille. Il frappa trois fois à sa porte[1]. Elle ne répondit pas, mais Thierry décida tout de même d'entrer. À sa grande stupéfaction, sa fille était en train de dessiner, si concentrée qu'elle n'avait rien entendu. Quelle vision merveilleuse pour son père ; cela faisait des semaines qu'elle avait arrêté d'exercer sa passion.

Il avança vers elle doucement, le cœur battant. Si elle dessinait à nouveau, c'était un signe qu'elle allait mieux, tout allait peut-être redevenir comme avant. Mais une fois arrivé tout près d'elle, il s'arrêta net en découvrant le croquis en cours. C'était d'une noirceur terrible, à la limite du dégoûtant, une sorte de scarabée avec des tentacules. Camille se retourna alors, sans montrer la moindre surprise de découvrir la présence de son père ; elle était si léthargique que rien ne la faisait plus sursauter. Elle l'embrassa rapidement. Il préféra ne pas mentionner le côté terrifiant du dessin qu'il venait de voir, d'autant que le sol était jonché, il

1. C'était leur code quand elle était petite. Trois coups, et elle savait que c'était son père. Elle devait alors donner l'autorisation d'entrer.

s'en apercevait maintenant, d'une dizaine d'autres tout aussi morbides.

4

Quelques mois auparavant, Camille avait commencé à peindre. La naissance de cette passion avait eu pour origine une sortie scolaire. Ce jour-là, elle avait ressenti une sorte de révélation. Un nouveau monde s'offrait subitement. À vrai dire, elle était peu habituée aux visites culturelles. Le week-end, ses parents préféraient l'emmener faire de grandes balades en forêt, ou alors elle pêchait avec son père. C'était moins le cas ces derniers temps, et cela lui manquait. Mais durant toute son enfance, elle avait passé des dimanches silencieux et rêveurs. Cela avait sûrement favorisé une nature introvertie, accentuée par le fait qu'elle était fille unique. Chaque lundi matin, le retour à l'école était comme un choc. Il fallait reprendre un rythme effréné. En quelque sorte, sa vie avait deux têtes.

Son caractère réservé ne l'empêchait pas d'avoir de nombreux amis. Elle avait un grand sens de l'écoute. Elle était de ces taiseux à qui on prête intelligence, et auxquels on délivre immédiatement des confidences très intimes. De son côté, elle n'aimait pas se dévoiler. Pendant trois mois, elle était sortie avec un garçon qui avait un an de plus qu'elle ; ils se promenaient main dans la main et s'embrassaient dans *leur endroit*, un coin reculé du grand parc situé à proximité du lycée. Et puis l'histoire s'était terminée, sans que personne sache vraiment pourquoi. C'était Jérémie qui avait décidé de rompre. Quelques jours plus tard, on l'avait aperçu avec une autre fille de sa classe. Camille les voyait marcher, eux aussi main dans la main, et peut-être allaient-ils s'embrasser dans *leur endroit*, salissant ainsi la mémoire de ce qui lui avait paru unique.

Camille gardait un goût amer de cette histoire qui, en quelques jours, avait basculé de la beauté à la laideur. Mais elle ne voulait partager avec personne ce qui s'était passé. Iris, sa meilleure amie, finit un jour par la faire parler :

« Il voulait coucher. Je ne me sentais pas prête.

— Quoi ? Tu aurais dû accepter ! répliqua Iris avec un art plutôt surprenant de la consolation (mais il faut comprendre qu'elle aurait tout donné pour être à la place de son amie).

— J'avais envie d'attendre encore un peu, reprit Camille.

— Oui, d'accord. Mais Jérémie Balesteros... quand même.

— Il m'a tellement déçue. Je n'allais pas le faire attendre dix ans. Juste quelques semaines, peut-être moins... Et regarde, non seulement il m'a quittée, mais il s'est mis aussitôt avec une autre fille. Alors vraiment, c'est mieux comme ça. Je n'ai aucun regret.

— Le prince charmant n'existe pas. Si tu l'attends, tu vas mourir vierge », conclut Iris[1].

Camille s'efforçait de chercher le côté positif en toute chose. Progressivement, elle arriverait à extraire le meilleur de ce qu'elle avait vécu avec Jérémie. Notamment leurs baisers ; elle n'en revenait pas de se dire à quel point cela pouvait être divin d'embrasser un garçon. Il leur arrivait de laisser leurs langues en suspens, quasiment immobiles, et de demeurer ainsi pendant d'intenses minutes de sensualité.

5

Revenons à la sortie scolaire qui avait marqué un tournant dans la vie de Camille. L'enseignant qui organise ce type d'excursion culturelle espère toujours que ses élèves en seront marqués, certains même émerveillés. La réalité est souvent bien plus décevante. La plupart traînent des pieds à l'idée de se taper une visite guidée dans un musée. On allait encore décortiquer les intentions d'un artiste mort depuis trois siècles, analyser pendant des heures pourquoi il avait mis du rouge ici et pas

1. Elle mettrait d'ailleurs bientôt en pratique son point de vue en couchant avec le premier venu. Une expérience qui se révélerait catastrophique. Pour la rassurer, Camille lui dirait cette phrase énigmatique : « Il y a dans tout échec un avant-goût de la réussite à venir. »

du vert là, mais bon, c'était toujours mieux que de croupir au lycée. À vrai dire, ce jour-là le professeur n'imposa rien, ni guide ni obligation. Chacun était libre. Il leur offrait une errance au musée des Beaux-Arts de Lyon. Seule consigne : choisir une œuvre, peinture ou sculpture, et expliquer en une page les raisons de sa préférence. Le professeur ajouta : « Vous avez l'embarras du choix. Il y a du Bacon, du Picasso, du Gauguin… bref, de quoi vous ravir. » Il paraissait toujours un peu suranné, mais on sentait chez lui une inaltérable envie de bien faire.

Camille s'éloigna seule. Elle fut envahie très rapidement par une intense émotion, celle d'être plongée au milieu des siècles et des œuvres. Tout un monde de beauté s'offrait à elle, subitement, effroyablement.

Elle passa devant une toile peinte par deux Polonais. Elle savait qu'il existait des duos au cinéma ou en littérature, mais il lui semblait plutôt original de peindre à quatre mains. Camille continua son chemin, et s'arrêta devant un tableau de Théodore Géricault, *La Monomane de l'envie*. C'était comme une évidence. Tout l'attirait, et notamment le regard de la vieille femme, empli d'une démence douce. Plus tard, Camille découvrirait le goût de ce peintre pour les aliénés. Malgré tout, elle percevait chez lui, en dépit de la cruauté et la froideur apparentes de son travail, une force bienveillante ; comme s'il cherchait à sauver une âme perdue du dédale de la folie. C'était un tableau saisissant qui vivrait en elle longtemps.

Le professeur fut particulièrement heureux de ressentir l'émotion de son élève. Dès le trajet du retour, Camille avoua n'avoir qu'une envie : revenir. Il lui conseilla d'aller aussi au musée d'Art contemporain, ce qu'elle ferait pendant les vacances suivantes, en février. Elle se mit à acheter des livres d'art d'occasion, à découvrir de nouveaux peintres, des époques et des couleurs. Elle partageait ses enthousiasmes avec sa mère. Isabelle avait tendance à tout trouver formidable, en partie pour écourter les envolées interminables de sa fille. Un soir, elle énonça de la manière la plus anodine qui soit : « Si tu aimes autant la peinture… pourquoi tu ne peindrais pas, toi ? » Camille n'y avait jamais vraiment songé, mais sa mère avait raison, il y avait dans son attraction davantage qu'une envie de connaissance. Son désir était organique ; elle voulait créer.

6

Dès le week-end suivant, elle acheta des pinceaux et des tubes de peinture. Elle voulait commencer de manière artisanale ; à cet instant, le désir était plus fort que l'inspiration. Elle ne savait pas quoi peindre. Peu importait. Le simple fait d'avoir un chevalet face à elle, un tablier et une palette de couleurs la remplissait d'une satisfaction totale ; le préliminaire à la création est déjà une extase en soi. Elle pensa : « Ce que je fais, c'est ce que j'ai toujours voulu faire. » Elle venait de déchiffrer une intuition qui flottait dans son corps. Celle de se vivre comme une artiste. Tout ce qu'elle avait vécu jusqu'à maintenant n'avait été qu'une attente inconsciente de ce qui se passait là.

Pendant les week-ends, fini les promenades en forêt. Camille préférait peindre. Ses parents la laissaient au petit matin pour la retrouver en fin de journée dans une frénésie qui semblait inépuisable. Ils s'inquiétèrent du fait que ses résultats scolaires s'en ressentent un peu, mais au fond, c'était réjouissant de voir son enfant s'emplir ainsi d'une passion, surtout la peinture, à un âge où l'on végète parfois dans l'inaction. Et puis, Camille semblait vraiment épanouie. Ses parents suivaient sa progression avec fierté. L'univers pictural de leur fille commençait à se préciser, une sorte de réalisme avec de légers dérapages dans l'onirisme. Ses tableaux étaient souvent assez doux, des couleurs sans agressivité ; on aurait dit une peinture qui vous tend la main.

« Je me suis dit que tu devrais peut-être montrer ce que tu fais, lança un soir Isabelle.

— Ça n'intéressera personne. Et puis… je peins pour moi.

— Je sais bien. Mais tu me disais encore hier à quel point tu avais envie de progresser.

— Oui.

— Alors un avis te sera utile.

— Peut-être.

— J'ai pensé à Sabine.

— Ta collègue ?

— Oui.

— Elle n'y connaît rien en peinture.

— Pas elle, mais son mari. Il est professeur de dessin dans un lycée privé.

— Je ne savais pas.

— Je peux leur proposer de venir prendre l'apéro samedi, si tu es d'accord ?

— Oui, pourquoi pas. »

Camille avait joué l'indifférence, mais l'idée la séduisait beaucoup. Elle était touchée de sentir à quel point sa mère s'efforçait de l'aider à accomplir ses rêves. Elle voulut la remercier, mais une pudeur retenait en elle les mots de la tendresse.

7

Le samedi suivant, ils se retrouvèrent à cinq autour d'une table. Camille et ses parents, ainsi que Sabine et son mari, Yvan. C'était un apéritif calme, une politesse étrange se dégageait de cette soirée ; on aurait presque dit qu'ils se rencontraient tous pour la première fois.

Camille était surprise de voir Sabine en mini-jupe et chaussures à talons. Habituellement, elle la croisait quand elle allait chercher sa mère à l'hôpital. Elle l'avait toujours considérée comme une personnalité sérieuse et discrète. Cette apparition du samedi, à la limite de la vulgarité, détonnait. En revanche, elle découvrait son mari. Il avait l'air adorable, on sentait comme une envie de bien faire dans le moindre de ses gestes. La jeune fille se demandait simplement pourquoi il se goinfrait de pistaches alors qu'il était déjà nettement en surpoids. Sûrement les histoires d'infirmières ne le passionnaient pas. Isabelle et Sabine évoquaient une de leurs collègues en dépression, une certaine Nathalie qui ne reviendrait probablement pas à l'hôpital. On comblait l'ennui comme on pouvait ; une pistache pouvait faire l'affaire, pour un homme pas compliqué. Et puis, il faut avouer que Thierry et Yvan n'avaient rien à se dire. L'un aimait la pêche, l'autre l'opéra ; l'un voyageait, l'autre était sédentaire ; l'un aimait le football, l'autre avait le sport en horreur ; l'un votait à gauche, l'autre à droite ; l'un n'avait pas faim, l'autre vidait le bol de pistaches. Bref, bien qu'ils aient chacun épousé une infirmière, il était évident que ce petit apéritif somme toute sympathique n'allait pas se répéter tous les samedis.

On en vint au sujet à l'origine de la rencontre : la passion de Camille pour le dessin. Isabelle se lança dans un éloge non crédible à double titre :

elle n'y connaissait rien en peinture, et elle était la mère de l'intéressée. Thierry lui fit signe de laisser parler Camille, qui se mit alors à raconter, avec des mots simples mais précis, pourquoi elle se sentait vivante quand elle peignait. Elle était décidément habitée quand elle en parlait ; cela contamina tous les convives. Yvan finit par proposer qu'ils aillent dans la chambre pour voir les dessins. Camille se leva, et il la suivit.

Il demeura un long moment devant le premier croquis. Camille pensa que ce silence n'augurait rien de bon. Il devait chercher ses mots pour expliquer pourquoi il trouvait ça mauvais. Mais non, il n'avait rien dit encore. Il fallait qu'il apprivoise ce qu'il voyait. Camille trouva Yvan très différent ; il n'avait plus rien à voir avec l'affamé de l'apéritif. Au contraire, il se révélait réfléchi et serein. Au bout d'un moment, il délivra enfin son jugement. Il aimait beaucoup, il voulait voir d'autres travaux. Soulagée et ravie, Camille sortit des dizaines de dessins, et aussi quelques gouaches qu'elle venait de réaliser. Le professeur repartit dans son pays silencieux, tout à sa concentration. Au bout de plusieurs minutes, il finit par s'asseoir sur la chaise installée devant le bureau de Camille : « Tu sais, j'ai compris assez vite que je ne serais jamais un artiste. J'aime follement la peinture, mais je n'ai pas de vision artistique. Alors j'enseigne la technique aux collégiens et aux lycéens. Mais toi, Camille… je peux te le dire, tu as quelque chose. Je ne sais pas quoi précisément. Mais ce que je vois là, c'est très original… »

Yvan prononça encore quelques mots de cet ordre. Camille n'écoutait presque plus, il y avait comme un bourdonnement dans ses tympans, comme si la félicité était un vacarme intérieur.

Ce qu'était en train de lui dire cet homme la ravissait. Elle se vivait artiste, et était certaine d'avoir une voix particulière ; c'était la première personne extérieure qui lui confirmait ce qu'elle ressentait.

« Quand je vivais à Paris, reprit Yvan, j'ai essayé de peindre. C'était mauvais, tellement mauvais...

— Vous ne devriez pas dire ça.

— Mais ce n'est pas grave de ne pas avoir de talent. Il faut simplement avoir le talent de le reconnaître. »

Camille sourit, avant de l'interroger :

« Mais pourquoi avez-vous quitté Paris ?

— Oh, ça, c'est une autre histoire. »

Sans doute étaient-ils restés un long moment dans la chambre, car ils furent accueillis par un « Ah... enfin ! » de Sabine. À peine assis sur le canapé, Yvan confirma :

« Elle a vraiment du talent.

— J'en étais sûre ! dit sa mère.

— C'est peu commun ce qu'elle fait. Sa maturité est étonnante.

— Oui, c'est vrai, confirma Isabelle.

— En revanche, elle manque de technique. Il lui faut de meilleures bases. Ce n'est pas grand-chose.

Elle va apprendre vite. Je lui ai proposé de passer me voir le mercredi après-midi.

— C'est adorable », dit le père, coupant la même réplique de la mère.

Cette annonce fut suivie d'un silence. Alors Isabelle proposa un toast pour fêter le talent de sa fille. Ils levèrent tous leur verre, mais au moment de porter l'alcool à ses lèvres, Sabine ajouta : « Et une petite pensée aussi pour Nathalie… » Cela lui ferait sûrement chaud au cœur, à leur collègue dépressive, de savoir qu'on ne l'oubliait pas.

8

Camille remercia plusieurs fois Yvan de la recevoir chez lui. Il finit par lui dire de mettre un terme à cet excès de reconnaissance. Cela lui faisait plaisir de pouvoir l'aider. Habituellement, le mercredi après-midi, c'était son temps à lui : « Pas de cours et pas de femme », précisa-t-il avec un sourire un peu appuyé.

La jeune fille trouvait son hôte légèrement mal à l'aise, sans pouvoir vraiment définir cette sensation. C'était une impression générale, il bougeait beaucoup, par exemple, si bien qu'il se mit à transpirer et que son visage rougit. On sentait qu'il essayait de bien faire. Quel homme adorable, pensa à nouveau Camille. En revanche, elle trouvait étonnant qu'il tienne à lui faire visiter tout l'appartement avant de commencer. Yvan était le genre d'homme qui vous dit où sont les toilettes avant même que vous ne le lui demandiez. Camille eut droit à un coup d'œil sur la chambre maritale, et elle jugea au passage le lit très large. Il ouvrit également une porte qui donnait sur une pièce relativement vide. Yvan balbutia :

« Quand on a emménagé ici, on s'est dit que ça serait la chambre de notre enfant. Mais... Sabine n'est jamais tombée enceinte. Alors ça fait vingt ans qu'on habite ici, et cette chambre est toujours restée vide...

— Je suis désolée », soupira Camille, un peu gênée, pensant que c'était ce qu'on devait dire en de telles circonstances.

Yvan demanda si elle voulait boire ou manger quelque chose. « J'ai tout ce qu'il faut », précisa-t-il avec fierté, comme si le fait d'avoir un frigo bien rempli était une haute qualité. Camille expliqua qu'elle avait déjà mangé.

« Ça ne t'ennuie pas si j'avale un bout avant qu'on commence ? dit-il.

— Non, pas du tout.

— J'ai une de ces faims. Je n'ai pas arrêté de la matinée... »

Camille le regarda alors se préparer un sandwich au pâté qu'il engloutit d'une manière incroyablement rapide. Il but un verre de Coca-Cola avec la même avidité. S'il semblait souvent tâtonner lors de ses déplacements, sa façon de manger respirait la promptitude, pour ne pas dire une forme de radicalité. Il n'y avait aucune place pour l'à-peu-près dans son rapport à la nourriture. Il ne semblait pas rassasié, mais préféra s'arrêter là, de crainte de passer pour un goinfre.

Une fois dans le salon, il demanda :
« Tu ne trouves pas qu'il fait chaud ici ?
— Non, ça va.
— Moi, j'enlève mon pull, dit-il avec un air sérieux qui fit rire Camille. Quoi ? J'ai dit quelque chose de bizarre ?
— Non... Non... C'est juste que vous avez une façon assez drôle de commenter tout ce que vous faites.
— Et ce n'est pas bien ? s'inquiéta Yvan.
— Si. C'est très bien. Moi, je ne parle pas assez, sûrement.
— Tu es vraiment une artiste. Il y a ceux qui font, et ceux qui commentent, c'est bien connu. Bon... est-ce que tu m'as apporté quelques dessins ? »

Camille alla chercher sa pochette. Yvan l'ouvrit avec délicatesse. Il recherchait les mots justes pour expliquer ce qu'il ressentait.
« Mon but est que tu progresses, alors je vais te dire franchement les choses.
— Oui, bien sûr.
— Il me semble que tu te contrôles un peu trop. Tu sais toujours ce que tu es en train de faire. Est-ce que je me trompe ?

— Non, c'est vrai. Je ne me laisse sûrement pas assez aller… »

Yvan n'avait pas tort. Camille avait un côté bon élève : elle exécutait davantage qu'elle ne vivait. Ce premier commentaire lui parlait vraiment. Elle y repenserait le soir même et les jours suivants. Cet homme avait l'air de bien la comprendre. Il deviendrait peut-être une sorte de mentor. Camille était stupéfaite de voir à quel point il semblait prêt à s'investir pour l'aider. Vivait-il par procuration ce qu'il ne s'estimait pas capable d'accomplir ? Les vies d'artistes sont souvent jalonnées de rencontres avec des hommes et des femmes qui ont digéré leur frustration créative pour se dévouer entièrement aux autres. Il n'y a alors plus la moindre aigreur, car il y a une beauté dans la transmission. Aider à faire éclore le talent de l'autre est aussi un immense talent. Cet homme semblait avoir envie de dessiner le destin artistique de Camille.

Après ce préambule, il fallait commencer par revoir les bases :

« C'est assez beau de voir comme tu as un sens inné des couleurs ou de l'harmonie générale d'une composition, mais il me semble que tu peux apprendre deux ou trois principes qui te seront toujours utiles.

— Merci. J'ai tellement hâte d'apprendre.

— Tu as un petit copain ? demanda subitement le professeur.

— Pardon ?

— Je te demande cela car pour t'aider… j'ai besoin de comprendre un peu ton environnement. Ce que tu vis.

— Je ne vois pas vraiment le rapport, mais non… je n'ai personne.

— Très bien. Je ne voulais surtout pas paraître trop indiscret.

— … »

Après un blanc dans la conversation, Yvan se mit à expliquer ce qu'il fallait savoir sur les couleurs.

9

Camille rentra chez elle ce premier mercredi avec une envie de peindre plus irrépressible que jamais. Elle voulait peindre, elle voulait peindre, elle voulait peindre. Les morceaux de sa vie s'assemblaient dans une unité totale. Dorénavant, tout le reste deviendrait annexe. Isabelle demanda comment s'était passé le cours, elle répondit : merveilleux. Camille détailla un peu ce qu'elle avait appris, mais finit par dire :

« Tu savais qu'ils n'avaient jamais pu avoir d'enfants ?

— Ah bon ? Sabine m'a toujours dit qu'elle n'en voulait pas. Qu'elle voulait consacrer sa vie aux malades.

— Et tu l'as crue ?

— Oui.

— Son mari m'a montré la chambre de l'enfant qu'ils n'ont jamais eu. Apparemment, ça a été difficile pour eux.

— Sûrement… maintenant que tu me le dis… il y a beaucoup de pudeur entre Sabine et moi. On ne se parle pas tant que ça, finalement. On voit tant de souffrances autour de nous qu'on finit par s'oublier. Mais c'est vraiment une femme extraordinaire, elle ne se plaint jamais.

— Toi non plus, maman. Et toi aussi tu es une femme extraordinaire. »

C'était la première fois que Camille s'adressait ainsi à sa mère. Certes, la chose avait été dite dans la continuité de la discussion, mais d'une manière si spontanée qu'Isabelle en fut profondément touchée. Elles se serrèrent dans les bras l'une de l'autre un instant, et cela leur fit du bien. Pourquoi donc ne le faisaient-elles pas plus souvent ? Avec l'adolescence, une distance corporelle s'installe progressivement entre parents et enfants. Il était loin le temps des câlins infinis. Camille avait seize ans déjà, bientôt elle serait une femme. Mais c'était si bon d'être dans les bras de sa mère, et de prolonger l'enfance le temps d'un moment.

10

Chaque soir, après les cours, Camille faisait ses devoirs le plus vite possible pour retrouver sa palette. Elle avait moins de temps pour ses amis.

« Tu as quelqu'un en ce moment ? On ne te voit plus aux soirées. Et chaque soir, tu fonces..., lui reprocha Jérémie un soir.

— Et alors, ça t'intéresse ?

— Ça pourrait.

— Ça veut dire quoi ? C'est fini avec l'autre ?

— Oui.

— Tu m'as quittée pour une pauvre petite histoire de rien du tout, et maintenant tu reviens. T'es pathétique. Je te remercie de m'avoir quittée. C'est la meilleure chose qui me soit arrivée. »

Elle laissa Jérémie en plan, dans la recherche infructueuse d'une réplique. Camille n'était pas surprise qu'il soit revenu vers elle ; sans être dotée d'un ego exagérément développé, elle avait l'impression de posséder maintenant une force qui exerçait une attirance sur les autres. Plus personne n'avait de prise sur elle. La création lui avait donné non seulement une densité inouïe, mais une capacité à ne plus rien attendre de personne. C'était un monde total, de nature à rassasier un être humain.

Elle développa le goût de l'autoportrait. Sur certains dessins, elle semblait se regarder elle-même intensément. Pour rappeler son âge, elle se peignait avec un « 1 » dans l'œil gauche et un « 6 » dans l'œil droit. Ses parents trouvaient cela magnifique. Ils n'y connaissent rien, pensait Camille. Pourtant, ils la soutenaient sans relâche. Ils avaient économisé pour lui offrir ce dont elle rêvait : un long week-end à Paris, avec un Pass

Musées. Pendant trois jours, elle pourrait arpenter le Louvre, Beaubourg et le musée d'Orsay. Sa mère l'accompagna dans ce périple de la connaissance. La jeune fille s'oubliait si longuement face à certaines œuvres qu'Isabelle finissait par chercher un banc où s'asseoir. L'apothéose de son séjour fut à Orsay ; elle jugea le lieu divin, d'une beauté à couper le souffle.

À son retour, elle raconta à Yvan tout ce qu'elle avait vu. Cela lui rappela ses années parisiennes. Il avait l'impression de revivre son passé à travers les yeux de la jeune fille. Il était ému et troublé quand elle partageait avec lui son enthousiasme. Il y avait une telle lumière en elle, le genre de lumière dont on ne sait si elle aspire le regard ou si elle l'aveugle.

Depuis qu'il la connaissait, il ne s'agissait que de quelques semaines, il avait le sentiment de la voir changer de jour en jour, comme si la peinture faisait d'elle une femme. Il aimait se placer derrière elle quand elle peignait, il s'approchait pour attraper son poignet et le guider, et il n'était pas rare alors qu'il soit presque happé par les cheveux de son élève. Il parlait mécaniquement pour donner ses indications, mais son esprit était ailleurs, errant dans la nuque de Camille. Il voyait bien son trouble progresser. Il tentait de le chasser, mais fuir le désir devenait impossible. Parfois, il posait une main dans son dos, pour ajuster cette fois-ci non pas le poignet mais la tenue générale de la jeune fille, et alors qu'il aurait simplement pu la poser fugitivement, il la laissait, longtemps et encore. Il se mit à inventer que la position du bassin était très importante pour peindre, tout ça pour la tenir juste au-dessus des fesses. Yvan n'avait qu'une envie maintenant, se positionner tout contre elle dans son dos. Camille, tout à sa concentration, ne perçut pas immédiatement que les gestes du professeur étaient de moins en moins délicats, les attitudes de plus en plus équivoques. Et puis c'était impossible. Il était bien plus vieux et marié. Cet homme ne pouvait pas être débordé par un désir incontrôlable.

Pourtant, elle y repensait le soir. Avait-il mis sa main si bas par inadvertance ou intentionnellement ? C'était minime, une question de millimètres peut-être, pour définir la frontière entre la bienveillance et l'indécence. Pourquoi y songeait-elle ? Forcément, quelque chose l'avait gênée. Peut-être que cela avait été son souffle un peu trop fort quand il était près d'elle ? Il aurait pu lui montrer la même chose sans faire du joue contre joue. Non… c'était absurde, cet homme était adorable, il prenait sur son temps pour l'aider, pour la faire progresser ; il croyait en elle ; il vivait intensément les cours, et pour cela il fallait la guider. Si elle prenait des cours de tango avec lui les contacts seraient mille fois plus intenses, finit-elle par se raisonner. Je dois fuir, aurait-elle dû penser.

11

En ouvrant les rideaux, Camille fut éblouie. Il était plutôt rare que le soleil perce ainsi les nuages à cette époque de l'année. La veille, elle s'était couchée tard pour finir un tableau sur lequel elle travaillait depuis plusieurs jours. *Naissance de la compréhension* évoquait les premières images que l'on peut avoir dans une vie ; des visages flous et indécis (elle se sentait de plus en plus influencée par Francis Bacon) sur lesquels elle écrivait des bribes de mots, des morceaux de phrases volés au balbutiement.

Elle demanda à sa mère par texto si, exceptionnellement, elle pouvait ne pas aller au lycée, et se recoucher jusqu'à sa leçon de peinture. Au moment où Isabelle accepta, sa fille avait déjà refermé les rideaux et s'était rendormie. Elle se réveilla vers midi, un peu plus en forme certes, mais toujours sans énergie. Elle commençait à admettre que la création, même si cela ne paraissait pas physique, vous vidait de votre substance pour les autres activités.

Elle exagérait un peu, sûrement, en jouant à l'artiste. Elle élaborait des théories ici ou là sur ses comportements. Elle disait maintenant que son prénom était un hommage à Camille Claudel, alors que ses parents ignoraient probablement tout de cette sculptrice. Tout juste en avaient-ils entendu parler lors de la sortie du film où elle était interprétée par Isabelle Adjani. Camille avait d'ailleurs adoré ce film, l'esthétique de la folie créatrice, où l'on se perd dans le dédale des illuminations. Tout se mélangeait parfois dans l'esprit de la jeune fille, ce qu'elle voyait et ce qu'elle voulait, ce qu'elle était et qui elle se rêvait. Il y a un âge où toutes les formes possibles de ce que nous sommes se mélangent et se diluent dans une inconfortable indécision. Si Camille était traversée par une évidence, elle ne pouvait pas faire l'économie des doutes incessants inhérents à la création. Son obsession la rendait heureuse, son obsession la rendait malheureuse.

Elle fit part de ses doutes à Yvan, qui parut tout saisir. Quand deux personnes se comprennent, on dit qu'elles parlent la même langue. Non pas une langue que l'on pourrait apprendre mais une langue qui repose sur une connivence intellectuelle ou une affinité émotionnelle. Cette langue est d'ailleurs souvent composée de silences.

Il y avait justement du silence à cet instant.

Yvan s'approcha de Camille comme à son habitude pour la guider dans ses gestes. Il avait attendu ce moment depuis une semaine, parfois même d'une manière hébétée. Sabine lui avait demandé pendant le week-end ce qu'il avait, et il avait été bien incapable de le dire. Lui qui était habituellement si actif était resté prostré pendant deux heures, assis sur le canapé du salon, près du chevalet de son élève. « Alors, elle est douée ? » avait demandé Sabine, et Yvan avait caché ses impressions réelles, déclarant simplement d'un ton détaché que, oui, la petite avait du talent. Il n'avait pas envie de parler de Camille avec sa femme, et qu'est-ce que ça pouvait lui faire ? Est-ce qu'il lui demandait si ses patients étaient bien malades, lui ? Chacun son domaine. Ce qui se passait entre Camille et lui restait entre eux. C'était leur monde. Qu'on les laisse tranquilles.

Yvan aimait tellement le regard admiratif que son élève posait sur lui. Enfin, il se sentait compris. Partout ailleurs, c'était un désastre quotidien. Il enseignait le dessin à des élèves pour qui c'était une matière inutile, la plupart se foutant complètement de ce qu'il pouvait raconter. Et c'était pareil pour les autres professeurs. Lors des conseils de classe, il arrivait qu'on saute son avis sur tel ou tel élève. Ce que pense le professeur d'arts plastiques n'a pas grande valeur. Il avait beau essayer d'animer ses cours, de proposer des sorties, d'organiser des concours, il était de plus en plus invisible. Même sa femme semblait mépriser son travail. Elle faisait un métier concret, elle sauvait des vies, elle soignait des souffrances. Que faisait-il, lui, pour le bien de l'humanité ? Enseigner le coloriage. Voilà ce qu'elle disait pour rire, au début, mais ce n'était plus un rire maintenant, c'était bien du mépris. Pour elle et pour tous les autres. C'était cela, la vérité, il était méprisé.

Les premières années de sa carrière, il n'avait pas ressenti cela. Les choses s'étaient aggravées progressivement pour aboutir à une dévalorisation totale de ce qu'il enseignait, donc de ce qu'il était. Il s'était mis à grossir ; on ne le voyait plus, alors il se rebellait par le corps. Sans doute aurait-il aimé que sa femme comprenne son mal-être. Il n'est pas anodin de prendre ainsi du poids, mais non, elle n'avait rien dit. Quand il l'avait interrogée sur ce qu'elle pensait de sa transformation physique, elle avait paru surprise. Elle n'avait pas remarqué l'importance du changement. Elle avait fini par s'excuser d'être moins attentive, elle avait beaucoup de stress à l'hôpital. Et puis, elle avait déclaré que ça lui allait bien, d'être un peu gros. Comme ça, simplement. Ça lui allait bien. Plus rien n'avait donc la moindre importance. Il aurait pu perdre une jambe qu'elle lui aurait dit avec le même air désinvolte : « Ça te va bien, d'être unijambiste. » Alors, il avait continué à manger. Et un collègue au lycée lui avait dit la même chose que Sabine. Ils se passaient le mot. Oui, il lui avait dit que ça lui allait bien. Il avait même ajouté que sa nature souriante s'accompagnait bien d'une masse corporelle importante. Car, oui, il continuait de sourire. Encore et encore. Personne ne pouvait imaginer les frustrations qu'il accumulait.

C'est pourquoi Camille était devenue son rayon de soleil, et même sa nouvelle raison d'être. Il y avait une connivence, un projet d'avenir, un espoir, une stimulation réciproque. C'était si bon de partager ces moments avec elle. Bien sûr, elle lui plaisait. Une attirance qui ne pouvait pas être d'ordre sexuel, elle était trop jeune évidemment, il s'interdisait d'y penser, il chassait les images, mais elles revenaient tout le temps, tout le temps, comme des attaques de désir, des pulsions acides de moins en moins contrôlables. Il aimait son odeur, sa peau, son rire, sa voix, ses cheveux, sa nuque, sa main, et le défilé de l'émerveillement aurait pu continuer dans une orgie de détails. Parfois, elle sentait un regard un peu appuyé, et aussitôt il détournait la tête, ou lui envoyait un sourire gêné, certes, mais qui ne respirait pas l'équivoque. Il paraissait davantage timide que hanté par des démons. Il aurait dû arrêter les cours, comprendre avant qu'il ne soit trop tard, mais non, ce n'était pas possible, on ne peut pas faire marche arrière dans ce qui vous ravage d'une manière irrépressible. Il avançait lentement vers la perte des repères, et maintenant, là, à cet instant du cours, il ne put s'empêcher de s'avancer tout près de Camille, tout près au point d'être contre elle. Elle tenta de se retourner, en vain :

« Que faites-vous ?

— Tu ne veux pas ? demanda-t-il mollement.

— Quoi ?

— Nous deux.

— Nous deux… quoi ?

— Il y a une attirance… non ?

— Je… Non… Pourquoi vous dites ça ?

— Tu ne m'aimes pas ?

— Je vous apprécie. Vous êtes mon professeur…

— Je ne te plais pas alors ?

— Vous êtes marié », tenta Camille, comprenant qu'il était préférable de ne pas le rejeter frontalement, en lui disant clairement : « Non, tu ne me plais pas. Et même, tu me dégoûtes. »

« Je peux tout quitter pour toi, tu sais.

— Mais… arrêtez de dire n'importe quoi. Vous n'êtes pas dans votre état normal. Je vais rentrer, et la semaine prochaine, ça ira mieux… »

Elle essaya de se dégager, mais il la retint.

« Non, reste. Tu ne peux pas partir comme ça.

— Je ne me sens pas bien. Je suis fatiguée. C'est mieux d'arrêter maintenant.

— Embrasse-moi.

— Quoi ?

— Embrasse-moi. Juste un baiser, et tu pourras partir.

— Mais non.

— Tu en as envie. J'en suis sûr.

— J'ai envie de rentrer. S'il vous plaît… »

Elle essaya de passer à nouveau, mais cette fois-ci, il la bloqua avec plus d'autorité, de la violence même.

« Mais qu'est-ce que vous faites ? Arrêtez !

— Non, tu restes, dit-il en accentuant sa pression sur elle.

— Mais ça ne va pas ! » cria-t-elle.

La situation avait brusquement changé de tonalité. Camille faisait maintenant face à une attaque subite, violente, démesurée. Elle tenta de se débattre ; rien à faire. L'homme la poussa dans un recoin pour la retenir dans un espace confiné. Elle tenta de fuir, mais elle avait si peu de forces aujourd'hui. Elle hurla :

« Arrêtez !

— Tais-toi ! Tais-toi ! » ordonna-t-il, plaquant cette fois-ci son bras sur sa bouche. Camille se sentait étouffer. Déjà, elle respirait de manière saccadée. Si elle se débattait, cela lui faisait atrocement mal. Il était toujours derrière elle ; une masse violente dans son dos. Il serrait de plus en plus fort son cou. Voulait-il la tuer ? L'horreur était en marche.

L'homme qui l'immobilisait pesait trois fois son poids, et la brutalisait au moindre cri. Camille pensait à la manière de s'en sortir. Elle pensait survie. Elle pensait comment faire pour qu'il s'arrête. Que dire pour le raisonner. Que dire pour stopper sa folie. Mais c'était de pire en pire. Il prit un torchon pour la bâillonner. C'était celui qu'elle utilisait pour essuyer le surplus de gouache. Elle dut ouvrir la bouche, et bouffer du jaune. Juste avant, elle l'avait supplié d'arrêter, elle ne pouvait plus parler maintenant. Elle pensa qu'elle allait mourir. Je vais mourir, je vais mourir, je vais mourir. C'était incessant. Arrivait-il seulement à voir les larmes sur son visage ? À lire l'effroi de son expression ? Non, il baissa son jean pour en extraire son sexe. Il souleva la jupe de Camille, arracha sa culotte. C'était atroce de facilité. Lui qui avait du mal à avoir une érection avec sa femme était envahi d'une virilité inédite, toute-puissante. Il pénétra sa proie avec un doigt deux doigts puis son sexe. Pendant qu'il s'exécutait de plus en plus brutalement, il soufflait fort dans l'oreille de Camille qui à cet instant ne s'appelait plus Camille ; elle perdait son identité, et chaque coup qui la déflorait davantage aggravait cette plongée vers une autre Camille.

Difficile de savoir combien de temps dura l'acte. Il parut interminable à la jeune fille, mais la chose avait dû être réglée en moins de deux minutes, une dizaine de coups, pas plus, distillés avec brutalité dans un rythme espacé. Après avoir joui, il recula, comme s'il venait de comprendre ce qu'il avait fait. Camille tomba au sol et se recroquevilla sur elle-même. On ne la voyait plus. Elle disparaissait de la surface du monde. Yvan remonta son pantalon, referma sa braguette, comme pour gommer ce qui venait de se passer. Son regard fut alors happé par le tableau qu'était en train de peindre Camille, une nature apaisante qui contrebalançait le chaos qui régnait maintenant dans la pièce. L'homme se rendit compte immédiatement qu'il ne pouvait plus faire marche arrière. Il se dit très vite qu'elle l'avait bien cherché, à toujours venir glousser chez lui, à se laisser approcher de si près, c'était une tentation insoutenable à la fin. Et pourquoi avait-elle mis une jupe ? Tout était de sa faute à elle. Non, ça ne tenait pas. Il avait fait n'importe quoi. Que devait-il faire maintenant ? Elle allait parler. Sa vie était foutue. Que dirait

Sabine ? Ses collègues ? Sa mère ? Mon Dieu, sa mère ne s'en remettrait jamais. Elle mourrait si elle l'apprenait. Il allait se retrouver en prison. Il avait mal agi, très mal agi.

Il fallait vite trouver une solution. Mais que faire ? S'excuser ? Plaider la folie passagère ? Implorer la petite de lui pardonner ? Mais elle ne bougeait pas. Elle demeurait comme morte. C'était foutu. Une morte ne pouvait pas pardonner. Il tenta alors de minimiser ce qui venait de se passer : « Bon, allez, relève-toi. C'est pas un drame. Tu sais, ça arrive souvent entre un professeur et son élève… » Elle ne répondit pas. Cet argument ne semblait pas fonctionner. Elle était toujours allongée au sol, prostrée. Yvan voulut l'aider à se relever, elle rejeta son bras. Elle tremblait, peut-être même s'agissait-il de convulsions, fallait-il appeler un médecin ? Non, ce n'était pas possible. Il espérait qu'elle reprendrait ses esprits. Comment allait-elle rentrer chez elle ? La situation était grave. Il fallait trouver une parade, vite. Il fallait trouver les mots justes. Il pouvait toujours chercher, il n'y en avait pas.

Il finit par lui apporter un verre d'eau. « Allez, relève-toi… si tu veux, on continue le cours… », dit-il dans une incohérence totale. L'heure avançait, Sabine pouvait rentrer à tout moment, il fut pris de panique et changea une nouvelle fois de tonalité : « Je t'en prie, excuse-moi… je ne sais pas ce qui m'a pris… une pulsion, un démon…

Camille, ne reste pas comme ça… écoute-moi s'il te plaît… » Ses mots étaient de plus en plus inaudibles, comme aspirés par le silence. La jeune fille finit par tourner la tête, et lui lancer un regard. Elle voulait se lever, fuir, mais elle n'y arrivait pas, elle avait l'impression de ne plus avoir de jambes, oui, c'était ça, réellement, son corps lui paraissait avoir été tranché à hauteur de bassin. Il posa une main sur son épaule, qu'elle repoussa violemment. Ce geste brusque éveilla quelque chose en elle. Camille pouvait bouger. Le simple contact de son bourreau lui donnait la nausée, et de ce dégoût réactivé pouvait naître la force nécessaire à l'action. Elle se redressa, il tenta de l'aider : « Ne me touche pas, ne me touche pas, ne me touche pas », enchaîna-t-elle, dans une litanie à la fureur contenue. Yvan obtempéra et recula. Elle se leva sans le regarder, et se dirigea vers la porte sans prendre ses affaires. Il mit un instant à comprendre qu'elle allait partir, son esprit semblait totalement en retard sur sa vision. Il réagit en se positionnant devant elle :

« Qu'est-ce que tu fais ?

— Laissez-moi partir.

— Mais, tu vas aller où ? Tu vas faire quoi ?

— Laissez-moi partir.

— Si tu répètes ce qui s'est passé, ça va très mal aller…

— Je ne répéterai rien », dit Camille avec ce qui lui restait de lucidité. Elle devait apaiser le bourreau pour s'échapper. Elle dit que c'était une promesse, qu'elle acceptait ses excuses, personne ne saurait jamais rien. Elle ajouta un mot sur l'admiration qu'elle lui portait. L'effroi qu'elle ressentait la poussait à trouver les mots justes, et les ressources de la survie, car elle voyait bien dans le regard de son professeur qu'il fallait le rassurer ; sans cela, il pourrait recommencer, il pourrait prendre peur et la tuer. Dans un premier temps, il la crut. Oui, elle garderait le silence, car elle voulait le protéger ; elle était la seule à savoir vraiment qui il était, à l'admirer, alors elle ne voudrait pas abîmer leur relation. Il faudrait du temps sûrement, mais elle lui pardonnerait, c'était certain ; peut-être même qu'un jour ils pourraient en sourire, elle lui dirait quel petit fou tu as été, il y aurait une tendresse dans ses mots, car ils se comprenaient tous les deux, ils parlaient la même langue.

Mais pourquoi insistait-elle autant pour partir ? Et seule. Yvan s'était proposé de la raccompagner mais elle avait dit non merci, non merci, non merci. Il se mit à douter. À penser que, peut-être, elle ne disait pas la vérité. Bien sûr qu'elle allait dire à tout le monde ce qui s'était passé. Elle voudrait se venger, c'était certain. Quel idiot avait-il été de la croire. Subitement, il l'attrapa par le bras : « Non, tu ne pars pas ! » Elle l'implora à nouveau, mais cette fois-ci, elle ne répéta pas trois fois sa phrase, juste une fois, sans la moindre conviction, cela ne servait plus à rien de batailler, elle était à la merci de ce fou. Yvan la força à s'asseoir sur le fauteuil, et lui dit :

« Je ne crois pas un mot de ce que tu me dis. Tu vas tout raconter. Alors, tu vas te calmer et reprendre tes esprits. Et nous aurons une discussion. Tu m'as entendu ?

— …

— Réponds-moi ! Tu m'as entendu ?

— Oui. »

Camille baissa la tête. Yvan sortit alors son téléphone pour appeler sa femme, vérifier où elle était. Il tomba sur sa messagerie, c'était le signe qu'elle était encore à l'hôpital, en service. Rien ne pressait donc, il en fut soulagé. Il avait du temps devant lui pour trouver une solution. Il apporta à nouveau un verre d'eau à Camille, et l'obligea à boire. Il évitait de la regarder, car tout se mélangeait en lui. Si on apprenait ce qu'il avait fait, il allait devoir fuir. Mais pour aller où ? C'était impossible, il avait un emploi, une femme, tout était là, non ce n'était pas possible de balayer une existence pour une erreur de deux minutes.

Il resta un moment comme suspendu dans le vide. Camille leva les yeux, avant de demander à partir.

« Pas tout de suite, répondit-il. Nous devons d'abord parler.

— …

— Je veux m'assurer que tu ne diras rien.

— Je ne dirai rien. Je ne veux pas que vous ayez des ennuis à cause de moi.

— Tu dis ça maintenant, mais tu changeras

peut-être d'avis. C'est pour ça que je vais te dire quelque chose de très important. Je n'ai pas le choix.

— …

— Tu aimes ta mère ?

— Oui.

— Tu ne voudrais pas qu'il lui arrive quelque chose de grave ?

— Non.

— Alors, tu vas bien m'écouter, et faire ce que je te dis.

— …

— Réponds quand je te parle !

— Oui.

— Tu m'écoutes attentivement ?

— Oui.

— Ta mère a fait une grave erreur médicale, il y a un peu moins de deux ans. Une erreur qui a coûté la vie à un patient. Seule ma femme le sait et elle n'a jamais rien dit, car elle veut protéger son amie. Tu m'écoutes ?

— Oui.

— Je sais tout de cette affaire. Alors, les choses sont très simples. Si tu parles à quiconque de ce qui s'est passé aujourd'hui, je dénonce immédiatement ta mère. Elle perdra son emploi, sera radiée, et ira probablement en prison. Est-ce que c'est ça que tu veux pour ta mère ?

— …

— Réponds-moi ! Est-ce que c'est ça que tu veux pour ta mère ?

— Non.

— Alors, tu as bien compris ?

— Oui.

— Tu as bien compris que si tu parles, ta mère est foutue ?

— Oui.

— Alors, tu vas rentrer chez toi. Et tu vas te débarbouiller. Tu vas arrêter de faire cette gueule d'enterrement, et tu vas oublier tout ça. Et pour ne pas éveiller les soupçons, tu vas revenir me voir mercredi prochain.

— Je ne dirai rien, c'est promis, mais ça… je ne veux pas.

— Tu n'as pas le choix. Rentre chez toi, et je t'attends la semaine prochaine. »

Il l'aida à se lever, et la laissa partir. Une fois dehors, elle rassembla ses dernières forces pour rentrer. Elle prit une douche qui dura presque une heure. Dans sa chambre, elle tira les rideaux pour faire l'obscurité la plus totale, et s'allongea sur son lit. Elle voulait mourir.

12

Isabelle rentra vers vingt heures. Elle fut surprise de ne pas voir sa fille à la maison. Ce n'est qu'au bout de plusieurs minutes qu'elle entendit un gémissement en provenance de sa chambre. Elle ouvrit la porte pour découvrir une pièce plongée dans la pénombre. Elle s'approcha du lit :

« Mais ma chérie… tu es là ? Qu'est-ce que tu as ?

— Rien. »

Machinalement, comme une mère peut le faire, comme une infirmière peut le faire, elle posa la main sur le front de sa fille :

« Tu as de la fièvre… pourquoi est-ce que tu ne m'as pas appelée ?

— J'étais fatiguée.

— Tu dois couver une grippe. Je comprends que tu ne sois pas allée en cours ce matin. Je vais te préparer une tisane, et demain ça ira mieux.

— Maman…

— Quoi ?

— Reste un peu là s'il te plaît. Je ne me sens pas bien.

— D'accord. Je suis là. Tu dois essayer de dormir.

— …

— Tu sais, ça ne m'étonne pas. Avec ton père, on se disait que tu n'arrêtais pas. C'est magnifique d'avoir une passion, mais c'est devenu une obsession. Des heures et des heures à rester debout, c'est normal que ton corps lâche au bout d'un moment. Avec l'école en plus… Tu devrais faire une pause, hein ? Tu as la vie devant toi pour nous faire des chefs-d'œuvre. »

Camille en eut la gorge serrée. « La vie devant toi », avait dit sa mère, alors qu'il lui fallait lutter pour atteindre la prochaine minute. Elle se sentait aspirée par un gouffre infini, un gouffre au milieu de son corps, un gouffre à la place du cœur.

Elle finit par demander à sa mère un cachet pour dormir. Ce serait la seule solution pour faire taire la réalité. Demain matin, elle se réveillerait peut-être dans un état d'esprit différent. Il fallait y croire, les somnifères faisaient sûrement cet effet, celui de plonger dans la nuit comme dans de l'eau froide. Sa mère se montra réticente, Camille était trop jeune pour s'accoutumer aux aides artificielles, mais elle l'avait demandé avec une telle conviction, en suppliant presque. Alors, elle accepta. Et la nuit commença.

Quelques heures plus tard, Camille se réveilla. Il était un peu plus de minuit. Rien ne s'était échappé d'elle. C'était même pire. Elle comprit qu'il n'y aurait à présent plus aucun moyen d'effacer ce qui s'était passé. Il faudrait vivre avec une image atroce devant ses yeux, le filtre permanent de la laideur sur chaque heure. Ce serait insoutenable. Elle ne supporterait pas deux jours une telle souffrance. Elle ne cessait de se répéter pourquoi, pourquoi moi ? L'injustice la brûlait. Ou alors, était-elle coupable ? C'était de sa faute. Tout se mélangeait dans sa tête, un étourdissement qui la maintenait dans un état de conscience absolu. Elle ne pourrait plus dormir. Que faire ? Rester prostrée. Elle ne voulait plus voir personne. Et que personne ne puisse la voir.

Le lendemain matin, sa mère constata qu'elle n'allait pas mieux. Elle lui donna de l'aspirine, remède dérisoire. Isabelle ne pouvait pas imaginer le pire. Bien plus tard, elle s'en voudrait de n'avoir pas deviné. Mais là, elle voyait juste une jeune fille épuisée, qui avait peut-être attrapé un petit virus. Après tout, Camille ne parlait que de fatigue, de repos, un vocabulaire qui ne laissait rien présager de tragique. Au bout de trois jours d'apparente léthargie, Isabelle prit tout de même la décision de lui faire une prise de sang. Elle apporta les prélèvements au laboratoire de l'hôpital. Quelques heures plus tard, le résultat était sans appel. Tout allait bien. Camille ne manquait de rien. Le sang ne parlait pas. Le sang se taisait. Isabelle fut confortée dans l'idée que sa fille avait simplement besoin de repos. Les jeunes sont soumis à tant de stress de nos jours, pensa-t-elle.

13

Les jours passèrent, et il fallait se rendre à l'évidence. Camille n'allait pas mieux. Sa fièvre était tombée, mais on la sentait toujours à bout de forces. Habituée aux situations dramatiques, Isabelle s'était mise à imaginer le pire, et pourquoi pas un lymphome. Heureusement, des examens médicaux approfondis avaient démontré que, malgré les apparences, *tout allait bien.*

Le plus inquiétant, finalement, c'était le mutisme de Camille. Isabelle venait s'asseoir près d'elle, sur le rebord du lit, et sa fille ne disait rien. Pas un mot. De temps en temps, elle chuchotait qu'il ne fallait pas s'inquiéter, c'était une question de quelques jours encore. Mais il était évident que ces mots étaient prononcés dans l'unique but de rassurer l'autre, il n'y avait pas la moindre conviction dans leur énonciation. Isabelle invita Iris, la meilleure amie de Camille, et cette dernière resta des heures avec elle. Elles parlèrent peu. Iris tenta de faire sourire son amie, lui racontant les dernières anecdotes du lycée. Mais tout paraissait futile à Camille, pour ne pas dire absurde.

Ce monde absurde, il faudrait pourtant qu'elle s'y confronte à nouveau. Elle n'avait pas d'autre choix que d'être forte. Elle ne cessait de penser au monstre, elle voulait le poignarder, c'était une image qui l'obsédait, un couteau planté dans son gros ventre, le voir se vider de son sang, lentement, un supplice. Pour cela, il faudrait le revoir. Ce qu'elle ne pouvait pas imaginer. L'idée de sa présence provoquait chez elle une terrible nausée. Elle n'avait qu'une peur, qu'il vienne lui rendre visite, jouer la comédie du professeur inquiet pour la santé de son élève. N'ayant aucune nouvelle le mercredi suivant l'agression, il avait fini par appeler Isabelle. De temps à autre, il envoyait des messages à la mère de Camille pour avoir des nouvelles ; à l'évidence, c'était surtout pour vérifier qu'elle n'avait rien dit. Sa menace semblait fonctionner. La jeune fille s'interrogeait parfois : avait-il dit la vérité ? Sa mère avait-elle vraiment commis une erreur médicale ? Elle se souvenait maintenant qu'il y a deux ans, peut-être, cette dernière avait paru comme en état de choc pendant plusieurs semaines. Alors oui, c'était possible. Mais peut-être que Camille inventait ces souvenirs pour qu'ils s'accordent avec le présent ? Elle ne savait plus. D'une manière générale, il n'y avait plus la moindre frontière entre ses émotions, elles se succédaient et se contredisaient dans le plus grand désordre.

Elle retourna enfin au lycée, où elle fut accueillie par des attentions touchantes. On avait fini par dire qu'elle avait été victime d'une dépression ; un de ces moments de vie qui ne peut se panser que par des semaines à ne rien faire dans un lit. On la trouva très pâle, mais sa peau n'avait jamais été très foncée. On la trouva silencieuse, mais elle n'avait jamais été une grande bavarde. Le véritable changement concerna son niveau scolaire. Elle ne parvenait plus à se concentrer. Elle ne se sentait plus capable de comprendre. C'était comme s'il manquait des liens dans son cerveau, une anarchie qui rendait tout confus. Alors qu'elle avait jusqu'ici été une élève brillante, en tout cas une élève dotée de facilités, tout lui paraissait maintenant extrêmement compliqué. À la stupéfaction générale, elle finit par redoubler sa seconde.

Camille avait eu une façon particulière de masquer sa souffrance. La fissure était invisible. Tout le monde avait pu constater son mal-être, sa fatigue, sa déprime, mais personne n'avait imaginé la réalité. Elle faisait preuve de volonté, disait qu'elle ne comprenait pas ce qui lui arrivait. Elle mentait sans cesse ; cela l'aiderait peut-être à devenir une autre personne, espérait-elle.

Au début de l'été, elle parut aller mieux. Elle ne voulut pas partir en vacances[1] hormis la semaine habituelle avec ses parents en Bretagne. Ils avaient leurs habitudes à Crozon, au bout du Finistère. Cette année-là la destination familière prit une dimension particulière ; Camille se tenait à l'extrême limite de ce qu'elle pouvait vivre. Elle était une terre qui va mourir dans la mer. Un après-midi, ils firent une promenade en bateau. Le ciel était orageux, offrant à l'océan une densité inquiétante. Paradoxalement, Camille vit la beauté de cette vision oppressante. Elle fut ravagée au point de pleurer. Sa mère lui demanda ce qu'elle avait, et Camille avait simplement répondu : « Je suis heureuse. »

14

Les parents de Camille ne comprenaient pas pourquoi elle avait cessé de peindre. Ce n'était sûrement pas plus mal ainsi : il était probable que l'une des raisons de sa plongée dans l'abîme ait été cette overdose d'intensité créatrice. Pour être

1. Ses parents lui avaient proposé un séjour linguistique en Angleterre, en se disant que la plongée dans une langue étrangère, une autre culture, lui permettrait de s'évader un peu.

tout à fait juste, Camille avait voulu se remettre à peindre quelques semaines après l'agression. Mais à peine s'était-elle approchée de sa palette qu'elle s'était mise à vomir. L'odeur de la peinture avait provoqué chez elle une nausée incoercible. Le monstre avait aussi réussi à saccager cela, contaminer par le dégoût ce qui était le plus important à ses yeux. Elle était condamnée à vivre dans l'absence de ce qui l'exaltait.

Après les vacances, Camille entama une nouvelle seconde, qui se déroula plutôt bien. Elle avait décidé de se plonger entièrement dans le travail et obtenait des résultats impressionnants ; personne ne comprenait comment cette jeune fille avait pu redoubler l'année précédente. Dès la fin du premier trimestre, elle fut convoquée par la proviseure de son établissement. Madame Berthier était une femme d'un certain âge, mais dont le visage respirait la jeunesse. Elle accueillit l'élève avec un grand sourire, et lui indiqua un siège. Camille était effrayée par cette convocation. Qu'avait-elle bien pu faire ? Elle se sentait coupable de tout depuis le jour de l'horreur. Madame Berthier commença :

« J'aimerais demander une dérogation exceptionnelle pour toi. Je sais que tu as traversé un moment difficile l'année dernière, et cela arrive à tout le monde. Nous t'avons fait redoubler, car il était impossible de faire autrement. Mais là, nous sommes ravis de ton implication et de tes résultats. Dans ces conditions, il est évident à mes yeux que tu peux passer directement en première.

Tu devras travailler beaucoup, mais je sais que tu peux le faire. Qu'en penses-tu ?

— Je ne sais pas.

— Tu peux réfléchir quelques jours, mais sache que c'est une mesure exceptionnelle. J'ai expliqué la situation aux référents de l'académie, et ton passage est accepté.

— Je… je ne sais pas comment vous remercier… », dit alors Camille, bouleversée, non tant par la nouvelle que par la bienveillance de cette femme.

15

Ce fut le début d'une période plus apaisée. Les bons résultats qu'elle obtint justifièrent totalement la mesure dont elle avait bénéficié. Le hasard fit qu'elle se retrouva dans la classe de Jérémie (il avait redoublé sa première). Pendant les cours, elle l'observait avec une étrange tendresse ; il appartenait au monde d'avant le drame. Elle se souvenait de *leur endroit* dans le parc, et cela resterait à jamais la preuve qu'elle avait pu être heureuse. Cela avait existé. Il fallait caresser encore un peu cette réalité oubliée. Camille lui proposa d'aller se promener un soir, et il accepta avec une pointe d'arrogance ; comme s'il avait toujours pensé qu'elle reviendrait vers lui un jour ou l'autre. Il ne pouvait pas se douter qu'il lui avait fallu mourir pour ressusciter à lui.

Ils marchèrent, puis finirent par se tenir la main, puis par s'embrasser. L'intensité que mit Camille dans ce baiser surprit le jeune garçon. Il recula.

« Quoi ? Ça ne va pas ? demanda-t-elle.

— Si… si… C'est juste que… tu n'embrassais pas comme ça, avant…

— On change… »

Effectivement, ce n'était plus la même fille. Elle semblait débordante d'envie. En embrassant Jérémie, quelque chose s'était produit en elle : le sentiment qu'elle devait accumuler des souvenirs pour diluer le poison du viol. C'était un peu étrange à comprendre ou à définir, mais cette intuition fut ravageuse. Elle voulait embrasser, et embrasser encore Jérémie, elle voulait qu'il la tienne fortement par la taille, elle voulait se donner à lui, se perdre en lui, elle voulait qu'il devienne la première image qui surgirait devant ses yeux quand elle éteindrait la lumière.

« On peut aller chez moi, si tu veux…, dit-elle alors.

— Chez toi ?

— Oui. Mon père est à Nancy et ma mère de garde jusqu'à vingt-deux heures. On sera seuls.

— …

— Ce n'est pas ce que tu voulais ?

— Si… bien sûr. C'est parfait. »

Moins de trente minutes plus tard, Jérémie lançait un cri strident dans l'oreille droite de Camille. Il venait de jouir. La jeune fille continua à le serrer très fort, pour qu'il ne bouge pas et demeure le plus longtemps possible sur elle. Elle n'avait éprouvé aucun plaisir, uniquement focalisée sur la conscience de l'acte. Comme si son regard avait quitté le lit et son corps pour observer la situation dans son ensemble. Et cette image l'avait follement apaisée. Les gémissements du plaisir assouvi de Jérémie lui permettaient de penser qu'une autre histoire était possible. Elle était libre de mener sa vie comme elle le voulait. Son corps lui appartenait.

Dès qu'elle était seule chez elle, Camille appelait Jérémie. Son appétit sexuel était de plus en plus intense. Le garçon avait parfois peur de ne pas être à la hauteur, mais il vivait un rêve éveillé. Cette fille qu'il avait tant désirée s'offrait à lui sans cesse, au point que cela finissait par être étrange. Il proposa un jour à Camille d'aller au cinéma, cela ne l'intéressait pas ; pas plus qu'un restaurant ; pas plus que n'importe quelle activité qui ne serait pas sexuelle. Elle voulait une orgie d'images, et elle était très loin d'en avoir son compte. Il finit par s'agacer, dire qu'il en avait marre d'être un objet. « Des garçons qui veulent coucher avec moi, il y en a plein, alors si tu n'es pas content, au revoir », répondit-elle froidement.

Effectivement, il y en eut d'autres. Elle coucha avec Baptiste, Thomas, et Mustapha. On commença à la traiter de pute, de salope, de nympho, mais cela ne lui faisait ni chaud ni froid. Elle était insensible aux jugements des autres, et c'était la meilleure façon de les faire taire. Personne ne peut blesser un mort.

16

Ses résultats scolaires étaient toujours excellents. Elle passa en terminale littéraire. Avec ses parents, elle partit à nouveau pour la Bretagne. Une copie parfaite de l'été précédent. Cette routine la rassurait plus que tout. Elle avait besoin d'une existence composée de points fixes et immuables, des endroits balisés non soumis à l'imprévisibilité des hommes.

Au cours d'une promenade sur la plage de Morgat, Isabelle demanda :

« Tu vas faire quoi après le bac ?

— Je ne sais pas encore.

— Et la peinture ? Tu ne veux plus aller aux Beaux-Arts ?

— Je ne sais pas. On verra l'année prochaine. Cela me paraît si loin…

— Oui, enfin, ça passe vite.

— Maman… je peux te poser une question ?

— Bien sûr ma chérie.

— Est-ce que ça t'est déjà arrivé… de… d'avoir des regrets… dans ton travail ?

— C'est-à-dire ? Je ne comprends pas.

— Je ne sais pas. Avec un patient… tu te dis

après coup… que tu aurais voulu faire les choses différemment.

— Elle est bizarre, ta question.

— Je ne sais pas. C'est juste pour savoir.

— On travaille souvent dans l'urgence. On fait au mieux la plupart du temps. On prend des décisions collectives… On doit sûrement faire des erreurs d'appréciation parfois, mais ça fait partie du métier… La médecine n'est pas une science exacte. Mais bon, moi, je suis surtout là pour accompagner les patients. Faire en sorte qu'ils souffrent le moins possible…

— …

— Pourquoi tu me demandes ça ? Tu veux devenir infirmière ? » s'illumina alors Isabelle, trouvant magnifique l'idée que sa fille ait envie de suivre son chemin.

Mais son enthousiasme fut vite refroidi : « Non, non. Pas du tout », répondit Camille.

La jeune fille ne cessait de penser à ce qu'avait prétendu Yvan ; la conversation revenait à son esprit, mais sous une forme confuse, comme déformée. Elle ne se souvenait plus des mots exacts. Camille avait juste compris que sa mère serait en grand danger si elle parlait. Était-ce vraiment cela qu'il avait dit ? Cela paraissait étrange tout de même. Isabelle venait de lui confirmer qu'elle ne prenait pas de décisions toute seule. C'est collectif, avait-elle précisé. Alors, elle ne pouvait rien risquer. Camille avait vu à la télévision l'histoire d'une infirmière qui euthanasiait des patients en fin de vie, pour abréger leurs souffrances. C'était peut-être ça qu'avait fait sa mère. Aider quelqu'un à mourir. Et Sabine l'avait compris. Elle aurait des soucis, bien entendu. Et il y aurait des comités de soutien comme pour l'autre infirmière. On en parlerait, le pour et le contre, un sujet de société. Rien d'irrémédiable en tout cas. Rien qui justifiait le silence, et l'impunité du bourreau. Mais c'était peut-être autre chose. Une injection mal dosée, l'oubli fatal d'un traitement, sa mère lui disait tout le temps qu'ils étaient en sous-effectif à l'hôpital, alors une erreur d'appréciation était si vite arrivée, une maladresse devenant un drame, une erreur transformée en horreur. Pouvait-on vivre avec cela sur la conscience ? Oui. Elle savait mieux que personne qu'on pouvait enfouir au fond de soi la barbarie.

17

Plusieurs fois, Yvan avait envoyé des messages à son ancienne élève, faisant mine de prendre de ses nouvelles. Il pesait le moindre de ses mots, trouvait une distance parfaitement dosée. Elle les effaçait immédiatement. Comme cela durait, elle finit par répondre : « Je vous en supplie, ne m'écrivez plus. » Ce qu'il fit pendant quelques semaines, avant de ne pouvoir s'empêcher de la contacter à nouveau. Camille n'eut d'autre choix que de changer de numéro. Il tenta alors de récolter des informations par l'intermédiaire de sa femme ; Isabelle confiait à Sabine le mal-être de sa fille. En toute inconscience, ou alors était-ce une ironie malsaine, il était capable de répondre : « Ce qui lui faut, c'est reprendre la peinture avec moi. »

Yvan se sentait rassuré. Camille ne le dénoncerait plus maintenant. Mais il voulait lui parler pour en être certain. Il décida alors de venir à la sortie du lycée. À vrai dire, ce qui pouvait apparaître comme un acte réfléchi était le fruit d'une pulsion. Entre deux cours, il prétexta un insupportable mal de tête, et quitta son établissement. Il ne savait pas à quelle heure terminait Camille ce jour-là, mais peu importait, il était prêt à l'attendre des heures, juste pour lui parler quelques minutes. Il n'était pas capable de le formuler aussi clairement, mais la réalité était simple : il avait besoin qu'elle soulage sa conscience ; qu'elle lui pardonne en lui disant que ce qui s'était passé n'était pas si grave. Seule une franche conversation pourrait apaiser son anxiété. Elle l'avait pourtant supplié de ne pas rentrer en contact avec elle. Ce dont avait besoin Camille, il n'y pensait pas.

En sortant du lycée, elle le vit immédiatement. Il était là, posté de l'autre côté de la rue, un sourire dégoûtant sur son visage. Leurs regards se croisèrent, il eut alors le temps de faire un petit geste de la main, un geste qu'il espéra amical, mais sa main était molle, comme pendante au bout de son bras. Juste en voyant cet homme à quelques mètres, Camille eut le sentiment qu'il était encore en train de la violer. Son corps hurla dans une réplique plus brutale encore que le séisme initial. Heureusement, Iris était près d'elle. Camille s'accrocha à son amie, et lui demanda de l'aide pour rentrer. Iris pensa qu'elle n'avait pas mangé de la journée, qu'elle avait un malaise. Elles partirent ensemble, bras dessus, bras dessous, sans se retourner.

Yvan observa Camille disparaître au coin de la rue. Hébété, il demeura sans bouger. Au bout d'un moment, il eut l'impression qu'on le regardait. Le prenait-on pour un pervers qui guette les adolescentes à la sortie du lycée ? Il fut traversé par une peur étrange : tout le monde savait ce qu'il avait fait. Oui, on le regardait, Camille avait tout raconté. La police allait arriver, c'était certain. Il fallait partir vite. Ne surtout pas se faire attraper. Quel idiot d'être venu ici, et de prendre autant de risques. Mais bon, il n'avait pas imaginé que ça se passerait de cette manière. Pourquoi Camille avait-elle réagi ainsi ? Même pas un bonjour. Même pas un sourire. Leur connivence qui avait été si intense n'existait plus. Tout était fini. Tout était anéanti à cause d'une stupide pulsion. Il devait admettre l'évidence : elle ne voulait plus le voir. Il ne servait à rien de lui écrire, de venir à la sortie des cours, d'espérer quoi que ce soit. Il fallait disparaître de son horizon. C'était sa condamnation. Cela le rendit triste, profondément triste. Il l'avait trouvée si belle. Oui, il n'avait pas osé se l'avouer dans un premier temps, mais il l'avait trouvée encore plus belle qu'avant, comme sublimée par l'effroi.

Le soir même, Yvan joua la comédie de la vie conjugale. Il prépara le dîner pour Sabine, des spaghettis sauce bolognaise, précisant : « J'ai coupé les oignons exactement comme tu aimes. » Sabine embrassa son homme sur la joue. Heureusement, ils ne parlaient presque pas en dînant, ils regardaient la télévision ; cela laissait à Yvan le loisir d'être loin, loin d'ici, et de penser encore à Camille. Elle lui avait lancé un regard si noir qu'il continuait à le transpercer. Il aurait tout donné pourtant pour passer encore un peu de temps avec elle. Une heure, une minute, même une respiration. C'était tout simplement impossible de ne pas la revoir.

18

La vue de son agresseur avait provoqué chez Camille une nouvelle crise. Elle resta au lit un mois durant, refusant d'aller au lycée, disant que cela ne servait à rien. Isabelle avait beau interroger sa fille, elle faisait face à un mur. Traversée parfois par le fatalisme, elle se disait que Camille était ainsi. On ne pouvait pas faire grand-chose. La nature distribue de l'ombre et de la lumière, et nous devons nous en accommoder. Mais quelques secondes plus tard, Isabelle était envahie par les souvenirs d'une Camille divinement joyeuse.

Cette nouvelle vague mélancolique plongea Isabelle dans un désarroi total. Elle avait pensé que le plus difficile était derrière eux. Cette rechute lui semblait bien plus effrayante que la première dépression, car elle ne pouvait s'empêcher de penser : « Cela ne s'arrêtera donc jamais… » Et la situation était grave. Le bac était à la fin de l'année. Camille mettait en danger son avenir. Mais sa souffrance paraissait si intense que cela diminuait l'importance d'un diplôme. Seul l'espoir d'un nouveau sourire comptait. Rien à faire. Le visage de sa fille était comme un masque mortuaire. Elle en pleurait le soir dans sa chambre. Thierry était tout aussi perdu. Il sillonnait les routes avec une menace permanente au-dessus de la tête, celle d'un appel qui annoncerait une mauvaise nouvelle. Il ne voulait pas en parler à sa femme, mais il avait le sentiment que leur fille quittait par moments le monde des vivants, comme en repérage vers l'au-delà.

Il fallait agir. Thierry proposa à sa fille de l'accompagner pour une de ses tournées. Quelques jours sur la route, tous les deux. Elle accepta pour faire plaisir à ses parents. Ils semblaient en être si heureux. Isabelle aida Camille à préparer son sac, l'embrassa fort au moment du départ, et fit de grands gestes quand la voiture s'éloigna de la maison. Mais dès le premier soir, Camille s'excusa auprès de son père et lui demanda : « Mets-moi dans un train s'il te plaît, je veux rentrer. » Thierry insista un peu, puis tenta de faire preuve d'autorité : c'était trop tard maintenant, ils étaient partis, elle aurait dû y réfléchir avant, on ne changeait pas de programme sur un coup de tête, etc. Il arrêta d'un coup ce pseudo-sermon éducatif en constatant le malaise de sa fille. C'était une évidence, elle avait essayé de bien faire, de rassurer ses parents en acceptant cette proposition, mais elle avait présumé de ses forces. Le monde extérieur lui faisait mal, la brûlait. Elle luttait pour retenir ses larmes afin de ne pas transformer cette situation déjà inconfortable en déroute. Thierry n'insista pas, et la déposa à la gare la plus proche. Sa mère vint la chercher à Lyon-Perrache, et elles rentrèrent en silence. Ce retour fantomatique contrastait brutalement avec la joie factice du départ. La tentative de Thierry, comme tout ce qu'ils avaient essayé avant, s'était fracassée dans un échec désolant.

19

Quelques jours après cette tournée avortée, Camille quitta son lit en fin de matinée. Elle prit un sac pour y déposer quelques affaires. Elle exécuta ces gestes sans la moindre hésitation, comme si ce moment n'avait été que la réalisation d'une action déjà écrite dans sa tête.

Isabelle, trouvant la maison vide en rentrant de l'hôpital, paniqua immédiatement. Elle adressa à Camille de nombreux messages, audio et écrits, sans obtenir de réponse. Après quelques appels infructueux auprès de ses amis, elle se rendit au poste de police. Au bout d'une heure interminable, elle fut reçue par une femme qui avait sensiblement le même âge qu'elle :

« Depuis quand avez-vous constaté la disparition de votre fille ?

— Ce soir, quand je suis rentrée à la maison.

— Et vous venez déjà nous voir ?

— Elle ne me répond pas.

— Avez-vous des raisons particulières de vous inquiéter ?

— Oui. Elle est… dans une sorte de dépression. Et ce n'est pas dans ses habitudes de ne pas me prévenir. Elle a pris un sac avec ses affaires…

— Donc, vous pensez que c'est une fugue ?

— Oui.

— Vous avez essayé de contacter ses amis ?

— Aucun ne sait où elle a pu aller.

— Elle va sûrement revenir. Rentrez chez vous, et on verra demain.

— Je vous dis que ce n'est pas dans ses habitudes de ne pas me prévenir… Elle n'est pas dans son état normal en ce moment. Je vous en prie… aidez-moi… »

Elle avait prononcé ces derniers mots avec des sanglots dans la voix. Alors qu'elle était coutumière de ce genre de situations, et s'était entraînée à ne pas se laisser déborder par elles, la fonctionnaire qui prenait la déposition fut touchée par le désarroi d'Isabelle. À vrai dire, elle se souvenait d'elle. Quelques mois auparavant, elle était allée à l'hôpital avec son fils qui s'était blessé lors d'un match de football. Elle avait trouvé cette infirmière adorable. Il y avait quelque chose d'incongru à la revoir dans cet état de fragilité total, de désespoir même, alors que lors de leur première rencontre les rôles étaient inversés : la mère inquiète pour son enfant, ce jour-là, c'était elle. Elle tenta de la rassurer, de lui dire que ça arrivait tout le temps, des fuites éphémères. Les adolescents revenaient toujours à la maison, ou finissaient par donner des nouvelles. Isabelle n'écoutait pas, les mots ne servaient à rien. Il fallait l'aider par des gestes concrets.

« Vous avez une idée de la manière dont Camille était habillée ce matin ?

— Non.

— On va signaler sa disparition. Vous avez une photo d'elle ? »

Isabelle ouvrit son sac et prit son portefeuille. Elle avait toujours une photo de sa fille à l'intérieur. Certes, elle datait de plus d'un an, mais elle était suffisamment ressemblante. En la prenant, Isabelle éclata en sanglots. Cette photo, c'était celle d'un temps qui n'existait plus, ce temps d'avant l'incompréhension et les peurs. Elle retrouvait l'expression de sa petite fille adorée, celle qui n'aurait jamais pu partir sans donner de nouvelles.

La policière voulut la soutenir du mieux qu'elle le pouvait, proposant même ce qui ne se faisait jamais à ce stade :

« Ça va aller… Ne vous inquiétez pas… On va diffuser la photo à toutes nos patrouilles de nuit. Je vais veiller personnellement à ce qu'elles prennent en compte la disparition de Camille.

— Merci.

— Le mieux maintenant, c'est de rentrer chez vous, et de tenter de vous reposer.

— Je vais essayer… », répondit Isabelle, en sachant bien que ce serait impossible. Une conscience en souffrance ne se relâche pas. Elle sentait comme une brûlure de plus en plus vive à l'intérieur de son corps. Depuis des mois, elle accompagnait le mal-être de sa fille, elle le minimisait sûrement pour éviter d'affronter le pire, mais cette fois-ci elle éprouvait comme un avant-goût du tragique. La situation était grave. « On vous appelle dès qu'on a du nouveau… », avait ajouté la policière. Une phrase terrible qu'on entendait dans les films, associée souvent à un contexte sordide. Il l'était, à présent. Il n'y avait plus le moindre doute.

Thierry écourta sa tournée, et rejoignit sa femme en pleine nuit. Toujours aucune nouvelle de Camille. Ils fouillèrent sa chambre, à la recherche du moindre indice, et peut-être même d'un journal intime. En vain. Ils finirent par ouvrir la grande malle en osier où étaient entassés des centaines de croquis et d'esquisses. Ils se mirent à les parcourir en espérant y trouver un signe, ou une explication. Mais il n'y avait rien à déchiffrer dans ces dessins. Au bout d'une heure, ils abandonnèrent. Camille n'était pas le genre de personne à laisser derrière elle les preuves de son désarroi, ou l'adresse de sa dérive.

20

Camille avait passé la nuit dans un hôtel près de la gare de la Part-Dieu. Au petit matin, dans un éclair de lucidité, elle songea à l'angoisse de ses parents. En allumant son téléphone, face à la multitude des messages, elle mesura leur inquiétude. Elle s'excusa : « J'ai besoin de partir quelques jours. Pardon de vous faire souffrir, mais je ne peux pas faire autrement. » Une heure plus tard, elle acheta un billet pour Nice. C'était le premier train qui partait. « Je vais me baigner dans la mer », se dit-elle, en oubliant qu'elle devait être glaciale en ce mois de février.

Avec l'hôtel et le train, le peu d'argent dont elle disposait était déjà largement dilapidé. En arrivant à Nice, elle posa son sac à la consigne de la gare, et se promena une longue partie de la journée. Camille éprouva un réel soulagement à ne plus être dans sa ville ; l'intuition de fuir avait été bonne. Elle était encore capable d'aller vers ce qui pouvait l'apaiser. Changer d'air, comme on dit. Elle respirait ici comme une autre vie. Après une errance le long de la promenade des Anglais, elle décida de s'allonger sur les galets. Au bout d'un moment, elle se déshabilla et avança vers la mer simplement vêtue d'un tee-shirt. Elle entra dans l'eau, sans la moindre hésitation, comme si elle ne se rendait pas compte qu'elle était glaciale. Depuis un moment déjà, elle n'était plus en mesure de discerner avec précision le monde réel. Il ne lui sembla pas étrange, non plus, d'être la seule à se baigner. Rapidement, son attitude attira les regards. Elle s'éloigna du rivage sans avoir la lucidité de comprendre qu'elle ne disposait d'aucune force pour nager ; elle n'avait rien mangé depuis vingt-quatre heures. Elle se sentait enfin heureuse, et pourtant, elle avait l'air d'une folle ou d'une suicidaire.

Deux policiers municipaux lui criaient de revenir vers la plage, mais elle ne les entendait pas, tout juste distinguait-elle au loin deux formes vaguement humaines. L'un des hommes finit par se mettre à l'eau pour aller la chercher ; au moment où il s'approchait, Camille se mit à faire de grands mouvements désordonnés, comme pour se débattre par avance, persuadée qu'on l'attaquait. L'homme parvint à la calmer, expliquant qu'il ne lui voulait aucun mal, simplement l'aider car elle se mettait en danger. Elle n'avait plus assez d'énergie pour ne pas le croire, elle se laissa aller, et perdit conscience avant d'atteindre le rivage.

Elle se réveilla, allongée sur un lit d'hôpital. Elle demeura un long moment, les yeux rivés sur la blancheur du plafond, avant qu'une infirmière ne vienne vers elle.

« Comment vous sentez-vous ?

— On est où ?

— Vous êtes aux urgences. Vous avez fait un malaise en nageant.

— En nageant ? Où ça ?

— Dans la mer.

— Quelle mer ?

— À Nice. Vous êtes à Nice. »

Camille n'avait aucun souvenir de ce qui venait de se produire. « Vos parents arrivent », reprit l'infirmière avant d'ajouter tout doucement, presque en chuchotant à son oreille : « Tout va rentrer dans l'ordre. » C'était une formule qu'elle devait prononcer des dizaines de fois par jour à tous les patients de l'hôpital. Quel était cet ordre ? se demanda aussitôt Camille. L'antidote du désordre ? Dans ce cas, elle serait heureuse que la prophétie de l'infirmière se concrétise. Elle n'attendait pas l'ordre, elle attendait que cesse le désordre.

Les policiers avaient trouvé dans le pantalon de Camille la clé de la consigne. En récupérant ses affaires, ils avaient découvert son identité. Ils avaient alors transmis l'information à leurs collègues de Lyon, puisque la disparition de la jeune fille y avait été signalée. Isabelle avait cru défaillir en entendant : « On a retrouvé votre fille à l'hôpital de Nice. » Un instant, elle avait été persuadée qu'on lui parlait d'un cadavre. Un instant, elle avait ressenti la perte ultime. Mais son bébé était vivant. Elle allait pouvoir le serrer dans ses bras. Avec Thierry, ils suivirent un long couloir pour parvenir à la chambre de Camille. Par la vitre, ils purent la regarder sans être vus. Étrangement, elle paraissait sereine. Alors que la situation était dramatique, il y eut presque un moment de joie quand la famille se recomposa.

Ils prirent la voiture et roulèrent lentement pour remonter vers Lyon. Isabelle était à l'arrière, près de sa fille, et la tenait dans ses bras. Toutes les cinq minutes, elle lui demandait si ça allait, si elle voulait faire une pause, n'importe quoi qui aurait pu lui faire plaisir. Camille disait que tout allait bien, et c'était vrai. Elle avait eu besoin de se perdre, de regarder la mort en face, peut-être, pour pouvoir vivre à nouveau.

21

Camille retourna au lycée, redevint studieuse. Comme par miracle, pensa Isabelle. Elle se plongea follement dans les révisions pour le bac. Il n'y avait plus que ça qui comptait. S'armer d'une connaissance inébranlable. C'était difficile de la comprendre, mais peut-on reprocher à une lycéenne de travailler trop ? Le dimanche, son père voulait l'emmener à la pêche, elle refusait puis finissait par accepter pour lui faire plaisir, à condition de pouvoir emporter un livre.

Personne n'aurait pu imaginer un tel dénouement en milieu d'année mais Camille obtint son bac avec la mention très bien. Elle était si douée. Sa mère voulait organiser une grande fête, il fallait partager ce bonheur, et peut-être qu'il durerait pour toujours si on le montrait ainsi au monde. Mais la jeune fille se ferma quand elle entendit le nom de Sabine parmi les invités. « Non, non, je ne veux pas de fête, dit-elle à sa mère, rien ne me rendra plus heureuse que de dîner avec toi et papa. » Ce qu'ils firent dans l'un des meilleurs restaurants de Lyon, chez Daniel et Denise, où ils purent célébrer ensemble le happy end de cette année scolaire.

À la fin du repas, Camille annonça qu'elle allait se remettre à la peinture. En d'autres temps, ses parents auraient pu s'en inquiéter. La voie artistique n'est pas toujours la plus rassurante pour construire un avenir concret. Mais là, tout était différent. Le simple fait que leur fille éprouve un désir les emplissait de joie. À nouveau, elle avait des projets, des envies. Pour la première fois depuis longtemps, Camille se sentait forte, et même indestructible ; c'était excessif, mais elle ne connaissait plus la demi-mesure ; dans la force ou dans la faiblesse, elle était extrême. Sa décision lui permettait de prendre enfin le dessus sur son bourreau. Il l'avait anéantie en lui volant son corps, mais il ne lui volerait pas sa vie. Camille était en train de trouver la force de ne plus associer la peinture au viol qu'elle avait subi. Elle voulait intégrer les Beaux-Arts à la rentrée. On lui dit que c'était trop tard, qu'elle aurait dû présenter son dossier dès le printemps. Encore une fois, madame Berthier, la proviseure de son lycée, l'aida dans ses démarches, et Camille fut admise. Elle passa tout l'été en bibliothèque, à feuilleter des livres d'art, explorant ainsi l'univers de tant d'artistes, d'Otto Dix à Charlotte Salomon.

Elle demanda à ses parents de passer quelques jours à Paris au lieu de filer directement vers la Bretagne. Ils ne pouvaient rien lui refuser ; ses envies étaient de la vie. Elle voulait tant revisiter les musées de la capitale, celui d'Orsay notamment. Ce second voyage fut un enchantement encore supérieur à celui de la première fois ; elle aurait voulu ne plus quitter les lieux, y passer tout l'été. Elle comprenait la puissance cicatrisante de la beauté. Face à un tableau, nous ne sommes pas jugés, l'échange est pur, l'œuvre semble comprendre notre douleur et nous console par le silence, elle demeure dans une éternité fixe et rassurante, son seul but est de vous combler par les ondes du beau. Les tristesses s'oublient avec

Botticelli, les peurs s'atténuent avec Rembrandt, et les chagrins se réduisent avec Chagall.

En Bretagne, à Crozon, Camille repensa à toutes les images accumulées ; quelque chose naissait en elle, le balbutiement de sa propre voix. Bien sûr, elle avait déjà beaucoup peint avant la tragédie, et sa singularité ne faisait pas de doute, mais elle revenait avec une puissance accrue, une vision plus précise. Il y a toujours un moment où un artiste peut se dire : c'est maintenant. C'est ce que vécut Camille cet été-là. Elle revenait à la vie par l'art, et cela lui donnait encore plus de force et d'évidence. Personne ne lui ressemblerait ; l'unique coulait dans ses veines.

22

La rentrée aux Beaux-Arts se déroula comme un rêve. Camille était heureuse de se trouver dans un nouvel environnement qui n'était pas hanté par les souvenirs. On peut parfois guérir par une simple modification géographique. Si elle allait mieux, le passé surgissait souvent par vagues. Elle ne pourrait pas vivre ainsi. Elle devait se reconstruire non pas en colmatant les fissures mais en bâtissant de nouvelles fondations. Elle chercha sur Internet une psychologue qui pourrait l'aider. Elle s'arrêta sur Sophie Namouzian. Surtout à cause de son nom, qu'elle trouva totalement crédible.

Camille avait imaginé une petite blonde plutôt ronde, une sorte de mère de famille épanouie, mais elle se retrouva face à une grande femme assez maigre aux cheveux gris ; on était chez Giacometti. Plutôt austère au premier abord, elle ne cherchait pas à séduire, à faire croire qu'elle allait régler vos problèmes en trois séances. Son visage présentait la topographie d'un long chemin à parcourir pour tenter de trouver l'apaisement.

Au premier rendez-vous, Camille parla peu, et Sophie Namouzian ne la relança pas. Elles firent connaissance par le silence. Il faudrait plusieurs semaines pour que la conversation devienne plus fluide. La psychologue avait intuitivement cerné le profil de sa nouvelle patiente. Une enfance heureuse, dans un environnement stable, une fille équilibrée et pleine de vie, fauchée subitement par un traumatisme, un viol a priori, pas par un membre de la famille, mais un homme en périphérie qui avait agi de manière brutale et imprévisible, il y avait une suffocation liée à cette dimension soudaine, et l'homme lui faisait du chantage peut-être ; quoi qu'il en soit, il était évident qu'elle n'en avait parlé à personne, et que c'était surtout cela qui pesait sur son esprit, cette insoutenable vérité du désastre et le silence qui l'entourait.

La clairvoyance de Sophie Namouzian était impressionnante. Il y a des personnes qu'on peut lire facilement, mais ce n'était pas le cas de

Camille. Elle tentait tant bien que mal de masquer son cœur par pudeur. À vrai dire, ce n'était pas tout à fait une pudeur : il lui arrivait si souvent de vouloir crier, déchirer le voile qui retenait ses paroles ; alors non, ce n'était pas de la pudeur mais de la honte. Seuls les mots pourraient la libérer de cette honte qui la rongeait. Namouzian les attendrait patiemment, ces mots. Ils viendraient, et ils seraient déterminants.

23

Les parents de Camille avaient décidé de casser leur PEL pour payer la location d'un studio près de l'école. Cela lui évitait des allers-retours quotidiens, et peut-être que cette nouvelle indépendance lui ferait du bien. En tout cas, elle avait exprimé ce désir. Elle vivait dans un petit meublé dénué de charme, mais cela n'avait aucune importance. Elle passait son temps aux Beaux-Arts, où de grands espaces appelés « les ateliers » permettaient aux élèves de travailler dans des conditions qui lui semblaient idéales. Malgré sa présence quasi permanente, elle ne se faisait pas d'amis. Dès qu'une conversation devenait trop personnelle, elle s'échappait, prétextait devoir rentrer, n'était jamais libre quand il y avait des soirées. Bien sûr, elle aurait voulu échanger avec d'autres jeunes artistes, comparer les œuvres, partager les doutes ; mais c'était encore au-dessus de ses forces. Elle se sentait effrayée à l'idée de nouer des relations. Pour se rassurer, elle pensait à tous les artistes qu'elle admirait, et dont les vies avaient été des chefs-d'œuvre de solitude. Il lui arrivait de parler parfois au téléphone avec Iris, mais elle ne la voyait plus. Camille était en train de se couper du monde, et cela ne l'attristait pas.

Elle aimait s'oublier dans la foule, notamment pendant les cours de monsieur Duris. Elle s'asseyait au milieu de l'amphithéâtre, utilisant les autres élèves tels des remparts. Elle aimait particulièrement ce professeur qui semblait avoir deux personnalités. En amphi, malgré une évidente passion, il y avait toujours chez lui quelque chose d'un peu mécanique, on ne le sentait pas prêt à se laisser aller à l'improvisation ou aux digressions, il était une autoroute du savoir. En TD, les choses étaient différentes, il paraissait bien plus libre. Très à l'écoute des étudiants, il pouvait modifier la trajectoire de ses cours pour être plus proche des sensibilités de chacun. Camille se demandait parfois où était la vérité de cet homme. Intuitivement, elle le voyait comme un compagnon de tristesse ; les autres ne semblaient pas le percevoir, mais elle devinait chez lui comme du désarroi. C'était le temps de sa séparation d'avec Louise, et sous ses airs détachés personne ne voyait le désespoir ; seule une âme blessée pouvait le lire.

Pour Camille, l'essentiel était bien sûr de peindre, et de progresser sur le plan technique. Mais il fallait aussi se nourrir des autres, pour pouvoir ensuite se définir. Les cours de monsieur Duris seraient, en ce sens, indispensables à son évolution. Quand il parlait de l'enfance de Rubens ou de la vieillesse de Dalí, la peinture se vivait telle une narration ininterrompue. L'acte de peindre devenait alors une participation à cette narration. Camille aimait sentir le poids de cette histoire quand elle dessinait ; les génies du passé ne l'intimidaient pas. Au contraire, la connaissance de la beauté accentuait sa force. La vie des autres enrichissait sans cesse la sienne.

Duris observait cette nouvelle étudiante avec une grande attention. Il n'avait pas mis longtemps à la trouver particulière, ne serait-ce que par l'intensité de son désir de savoir. Certains élèves la surnommaient « la silencieuse ». Cela n'aurait pas forcément déplu à Camille de l'apprendre ; elle aurait sans doute trouvé que c'était plutôt bon signe pour une artiste. Si elle parlait peu, Antoine jugeait ses devoirs écrits originaux et inspirés. Il discernait chez cette élève une forte personnalité qui se traduirait, à coup sûr, par une voix artistique singulière.

24

Quand elle était aux Beaux-Arts, Camille était protégée[1]. Pourtant, elle traversait à nouveau des zones orageuses ; cela ne cesserait donc jamais ? Parfois, elle se sentait promise au dégoût permanent d'elle-même. Les quelques minutes qui l'avaient déshumanisée prenaient la forme d'une condamnation à perpétuité. Le travail effectué auprès de la psychologue, en la forçant à se confronter à ses émotions, la fragilisait. Elle n'arrivait toujours pas à parler, mais les mots se trouvaient maintenant sur le rivage de la parole. Elle était hantée par le discours à venir. Et puis, par instants, il lui semblait qu'elle n'y arriverait jamais. Il demeurerait impossible de raconter ce qu'elle avait vécu ; comme si les phrases à formuler étaient elles-mêmes dégoûtées par ce qu'elles allaient incarner. La libération par les mots, nécessaire à son apaisement, était un espoir sans cesse avorté.

Sophie Namouzian, qui avait perçu ce blocage, proposa lors d'une séance : « Vous devriez écrire. Mettre vos mots sur du papier. Vous pourrez me les lire à défaut de parler ; et si vous préférez les conserver pour vous, ils auront au moins le mérite d'exister. Il faut pouvoir déposer son intimité

1. Le nom même de l'école, associant la Beauté et l'Art, lui était une caresse.

quelque part. Parfois, dans la douleur, on en vient à douter de la réalité de ce qu'on a vécu. Avec ce témoignage écrit, vous vous offrez la force du réel. C'est votre vérité, celle d'une victime bien sûr, mais aussi celle d'une combattante. Et c'est bien là le point de départ de toutes les promesses… »

Elle avait prononcé ces mots calmement et lentement, comme une sentence un peu hypnotique. Alors qu'elle paraissait distante parfois, ou peu impliquée émotionnellement, cette femme se révélait d'une humanité incroyable. La jeune fille quitta le cabinet, en remerciant sa psychologue. Une fois seule, cette dernière fut envahie par un étrange sentiment. Quelque chose qui pouvait ressembler à un mauvais pressentiment.

25

Une semaine plus tard, Camille se réveilla en pleine nuit pour écrire. Elle ne savait pas par où commencer. Tant de fois, elle s'était reformulé les événements, ressassant à en devenir folle certains détails. Mais elle ne pouvait plus reculer. C'était le moment.

Elle avait l'impression de tenter d'éclairer un abîme noir avec une petite allumette fragile. Cela prendrait du temps, forcément. Chaque mot, chaque lettre même, était un poids dont il fallait se délivrer. Elle écrivit deux phrases, puis fit une pause. Elle se dirigea vers la fenêtre pour observer sa ville qui dormait. Son studio, constitué de deux anciennes chambres de bonne, se situait au dernier étage d'un immeuble bourgeois. Elle vit au loin, perchés sur un toit, deux amoureux qui fumaient une cigarette. L'incarnation du bonheur. Elle rêvait d'être eux. S'aimer en regardant le ciel, au cœur de la nuit, en fumant une cigarette ; s'aimer à l'aide de volutes. Cela paraissait simple à accomplir, et pourtant, Camille eut l'impression d'être face à l'inaccessible. Cette vision, après l'avoir émerveillée, lui devint terriblement douloureuse.

Elle cessa d'écrire, et tenta de dormir. Au petit matin, elle se leva et relut aussitôt les deux phrases qu'elle avait écrites. Elle se fit la promesse de continuer le soir même. Elle se prépara rapidement pour ne pas être en retard. Elle commençait à huit heures par le TD d'Antoine Duris. Elle trouvait absurde d'enseigner quoi que ce soit si tôt le matin, et encore plus la peinture. L'art méritait la nuit. D'ailleurs, le professeur lui-même semblait assez peu frais, et avait la bouche pâteuse en début de cours. On pouvait en conclure qu'il vivait seul. Avant le « bonjour » aux élèves, il n'avait pas encore prononcé le moindre mot ; ni à sa femme qui était partie, ni aux enfants qu'il n'avait pas. Mais il possédait la divine énergie des passionnés. En quelques phrases sur un peintre ou une œuvre, on le sentait pleinement réveillé.

Ce matin-là, il poursuivit un cycle entamé depuis un mois sur l'autoportrait. Il développait à présent une théorie sur ce qu'il considérait comme une réelle particularité de la peinture :

« Pratiquement tous les peintres, à un moment ou à un autre, ont décidé d'être le sujet de leur œuvre. C'est comme un passage obligé. Il me semble que c'est le seul art qui soit soumis à cette nécessité autobiographique. Par exemple, en littérature, nombre de grands écrivains ont accompli leur œuvre sans jamais écrire sur leur vie, sans jamais se peindre eux-mêmes, si j'ose dire. Qu'en pensez-vous ?

— ... »

Il était un peu tôt pour avoir un avis sur cette théorie. Camille leva la main, à la surprise générale. Avant même que son professeur ne lui donne la parole, elle commença : « Je ne pense pas que cela soit juste. Tout artiste se représente. En littérature, un auteur est partout, sûrement. C'est peut-être plus visible quand on peint son propre visage, mais cela ne fait pas de la peinture un art à part dans l'expression de soi. Je ne pense pas qu'on puisse créer sans exprimer ce que l'on est. Votre théorie s'arrête à la surface des choses, il me semble. »

Camille jugea prudent de s'arrêter là. Tout le monde fut stupéfait que « la silencieuse » se soit ainsi lancée dans la longue expression de son point de vue. Rapidement, elle fut suivie par d'autres élèves qui exprimèrent également leur désaccord. Le professeur ne s'attendait pas à une telle remise en cause de son propos mais, pour faire bonne figure, finit par dire qu'il était heureux de voir que son cours était un terrain d'échange, et que chacun s'exprimait le plus librement possible. Il avait d'ailleurs reçu le commentaire de Camille avec bienveillance. Pour une personnalité réservée, cette prise de parole en public était un signe encourageant.

À la fin du cours, Camille voulut aller voir son professeur et s'excuser. Elle ne se sentait pas à l'aise avec l'idée d'être ainsi intervenue. Elle mit son audace sur le compte des deux phrases écrites la veille au soir. Oui, il y avait forcément un lien. En mettant des mots sur le passé, elle libérait le présent. Presque d'une manière anarchique, comme l'irruption quasi incontrôlable de son point de vue ce matin même. Alors qu'elle avait si peu écrit encore, elle recevait déjà les effets bénéfiques de ce soulagement. Elle libérait subitement une si longue période de mutisme ! Finalement, elle se dirigea vers son professeur :

« Est-ce que je peux vous parler un instant ?

— Oui, bien sûr Camille.

— Je voulais vous dire… que j'étais désolée pour ce matin. Je ne voulais pas vous contredire ainsi.

— Ne soyez pas désolée. Vous avez bien fait d'exprimer votre opinion. J'ai peut-être tort de penser que seule la peinture fait de l'autoportrait un passage obligé.

— Oh non, vous n'avez pas tort, pas vous.
— …
— Je trouve que vos cours sont formidables. Votre passion est contagieuse. Vous êtes une réelle inspiration pour moi.
— Merci.
— Je…
— Quoi ?
— Je ne veux surtout pas abuser de votre temps mais…
— Dites-moi.
— J'aimerais beaucoup avoir votre avis sur mon travail.
— Vous voulez que je passe vous voir aux ateliers ?
— Oui, ce serait important pour moi.
— Écoutez… je ne le fais pas habituellement. Pour ne pas empiéter sur le travail de mes collègues. Mais puisque vous me le demandez, pourquoi pas.
— Merci. Merci beaucoup. J'y suis demain toute la journée.
— Très bien, j'essaierai de passer alors. »

Camille quitta la classe dans un état de stupéfaction. Elle avait osé lui demander cela, elle n'en revenait pas. À vrai dire, elle y pensait depuis plusieurs jours. Elle était très bien guidée aux Beaux-Arts, mais elle voulait se soumettre à l'opinion de son professeur d'histoire de l'art. Son avis comptait plus que les autres. Elle se sentait en totale connivence intellectuelle et émotionnelle avec lui.

Antoine avait perçu l'importance qu'il prenait aux yeux de son élève, si bien qu'il ne pouvait pas dire non. Son attitude de ce matin avait été si différente des autres jours ; on aurait dit une nouvelle version de Camille, avait-il pensé. Elle ne cessait de le surprendre, et cela lui donnait encore plus envie de découvrir ce qu'elle peignait.

26

En fin de journée, Camille avait rendez-vous chez Sophie Namouzian[1]. À peine assise, submergée par une forme de honte à rebours, elle balbutia :

« Je ne sais pas ce qui m'a pris aujourd'hui. Je suis intervenue en plein cours, devant tout le monde. Et après je suis allée voir mon professeur. Il a dû me prendre pour une folle. Je lui ai parlé si librement. Je ne me suis pas reconnue. Ce n'était pas moi.

— Si Camille, c'était vous ! répondit presque sèchement la psychologue. Je suis certaine que vous étiez comme ça il y a quelques années, à dire tout haut ce que tout le monde pensait tout bas. »

Camille ne parvint pas à répondre et se mit à pleurer. Cela faisait si longtemps que des larmes

1. Quand elle pensait à sa psychologue, elle l'appelait toujours ainsi, comme si elle avait besoin de se confier également à un nom.

ne s'étaient pas échappées de son corps. C'était une libération par les yeux. Elle pleurait car cette femme avait raison. Elle venait de renouer avec celle qu'elle avait été, comme un réveil après une longue anesthésie. Oui, c'était elle qui agissait ainsi, libre et insoumise au jugement des autres. Les larmes n'étaient pas de tristesse ; au contraire, pour la première fois, tout était possible à nouveau. Camille mit quelques mots ici ou là sur son tempérament et raconta quelques souvenirs. Sa narration reprenait vie.

De retour dans son studio, son histoire retrouvée lui procura une envie irrépressible de dessiner. Elle prit un grand cahier qu'elle avait acheté la semaine précédente. Allongée dans son lit, elle enchaîna quelques croquis évoquant des scènes d'enfance ; une fête de Noël avec sa mère lui racontant les anges ; ou une visite au cimetière sur la tombe de sa tante, morte prématurément ; ce qui lui passait par la tête, sans trame précise, sans ligne directrice. Le passé revenait à elle, rejoignant le temps présent. La fracture temporelle se refermait. Il s'était vraiment passé quelque chose ce matin. Sa décontraction subite lors du cours de Duris avait marqué cette irruption tant attendue. L'ancienne Camille avait repris possession des lieux.

Enchaînant les pensées, elle se mit à dessiner son professeur. Elle reprit ses propos sur tel ou tel peintre, et fut surprise de se souvenir pratiquement mot pour mot de ce qu'il avait dit. Elle le faisait revivre sous ses yeux. Il devenait comme un personnage. Sur certains croquis, on pouvait voir le reflet du regret sur son visage. Camille dessinait un homme qui avait l'air d'être en retard sur lui-même. C'était ce qu'elle ressentait à son propos. Toujours cette tristesse cachée. Mais, sur d'autres dessins, elle mettait en avant sa douceur, sa bienveillance. Elle voyait bien qu'il était à son écoute tout particulièrement. Elle se rapprochait de la vérité avec cette hypothèse. Antoine devinait son potentiel, et voulait l'aider du mieux qu'il pouvait.

27

Comme convenu, il passa en fin d'après-midi le lendemain à l'espace des ateliers. Il erra un peu entre les travaux des élèves, qui tous le saluèrent avec déférence. Il se demanda pourquoi il ne venait jamais. Peut-être était-il gêné d'empiéter sur un terrain qu'il estimait ne pas être le sien ? C'était absurde. On lui avait dit plusieurs fois, et Camille encore récemment, que ses exposés pouvaient être d'une grande influence sur l'évolution d'un parcours artistique. Il se sentit ému de pouvoir s'octroyer une part de responsabilité dans cette effervescence créative.

Quand il arriva auprès de Camille, il la découvrit assise sur une chaise. La mise en scène de ce moment laissait croire qu'elle avait l'intuition de l'arrivée de son professeur, et qu'elle l'attendait. Elle était à côté d'un tableau qu'elle venait de peindre : son autoportrait. Ainsi, Antoine fut confronté à cette vision étrange, comme s'il avait rendez-vous avec deux Camille. Au lieu de s'adresser à son élève, il préféra observer en détail la toile. Le visage affichait une expression neutre, mais le regard semblait clairement dirigé vers celui ou celle qui observait le tableau. Antoine fut hypnotisé un instant, tant ce regard était soutenu et intimidant. Mais la force de l'expression s'atténuait par un contour mauve tout en douceur.

Il resta encore un instant posté devant l'œuvre, la trouvant immédiatement singulière. Camille finit par lui dire :

« Bonsoir.

— Bonsoir, pardon. Je suis happé par votre tableau, vraiment.

— Je l'ai dessiné pour vous. À cause de votre théorie, je me suis dit qu'il fallait que je fasse un autoportrait.

— Ah… merci.

— À vrai dire, j'en ai déjà fait souvent. Ce qui est étrange, c'est que ce sont mes dessins les moins personnels. Je me représente pour être différente. Pour ne plus être moi.

— Je comprends… Et pourquoi avez-vous choisi le mauve ?

— C'est la couleur de la mélancolie joyeuse », répondit la jeune fille en esquissant un sourire.

Elle semblait si heureuse qu'il soit venu, d'une joie si intense, qu'elle lui faisait oublier l'enjeu de sa présence.

Antoine semblait décontenancé. Camille avait une si forte personnalité qu'il fallait toujours un moment pour trouver sa place auprès d'elle. Dans un premier temps, il préféra observer en silence plutôt que de livrer au fur et à mesure ses impressions. En se plongeant dans les travaux que l'étudiante lui présenta, il ne perçut pas, au premier abord, de réelle cohérence. On sentait une artiste soumise à des impulsions, changeant au gré de ses humeurs, aux inspirations multipolaires. Il fallait un moment pour déceler progressivement une identité commune, comme un lien qui unissait les tableaux les uns aux autres[1]. On pouvait dire que l'inspiration générale était végétale ; la nature, par une présence plus ou moins importante, rassurait le chaos du monde. Il y avait un espoir caché dans chacune des œuvres, y compris les plus sombres. Et souvent, cette lumière se matérialisait par la présence d'un arbre ou d'une fleur.

« C'est vraiment formidable, finit par dire Antoine.

— C'est vrai ? Vous aimez ?

— Oui, vraiment.

1. On dit parfois d'un roman qu'il faut savoir le lire entre les lignes ; Antoine estima qu'il en était de même pour le travail de Camille ; il fallait l'observer entre les couleurs.

— Vous ne dites pas ça pour me faire plaisir ?
— Non, je vous assure que vous avez une voix unique. Qui est votre professeur de technique ?
— Monsieur Bouix.
— Il doit vous le dire je suppose.
— Il n'aime pas vraiment complimenter, mais quand je vois à quel point il est capable de détruire le travail des autres élèves, je me dis qu'il doit à peu près apprécier ce que je fais.
— Oui, il est connu pour ça. Son silence est déjà une immense approbation.
— Merci en tout cas. J'avais tellement peur de vous déranger.
— Au contraire. Je suis ravi d'échanger avec vous. Allons boire un café, nous serons mieux pour parler de votre travail... », proposa simplement Antoine.

C'était très rare qu'il agisse ainsi, mais l'accueil général des étudiants lors de son arrivée aux ateliers et le réel désir de Camille d'écouter son avis le poussèrent vers cette envie. Il voulait être davantage complice avec ses élèves. Cela lui donnait même une raison d'être.

28

Quelques minutes plus tard, ils étaient assis dans un café situé non loin des Beaux-Arts. Antoine était curieux d'en savoir plus sur les inspirations de Camille. Il aimait les créateurs et leurs secrets. L'admiration qu'il lui portait était réelle. Cela le fascinait de s'approcher d'un esprit qui peignait ainsi. Antoine était professeur, mais il aurait tout aussi bien pu tenir une galerie, faire partager ses coups de cœur, mettre en valeur les autres. Il se sentait parfaitement à sa place dans ce rôle, n'ayant lui-même aucune velléité artistique.

À cet instant, Camille se renferma un peu. Non qu'elle n'appréciât pas le moment, bien au contraire, mais elle trouvait très difficile de parler d'elle. Elle était heureuse d'écouter les commentaires d'Antoine, elle les trouvait pertinents et flatteurs, mais elle se trouvait mal à l'aise dès qu'il abordait la genèse de telle ou telle œuvre. Elle ne supportait pas d'être disséquée. Ses questions relevaient d'un intérêt bienveillant, et Camille le savait très bien, mais elle préférait laisser la création dans les sphères de l'inconscient ; elle aimait le mystère de la naissance des idées. D'une manière générale, elle vivait mal que l'on tente d'accéder à son intimité. Pourtant, c'était elle qui l'avait sollicité. Mais son regard lui avait suffi. Le simple fait qu'il vienne, observe son travail, y soit sensible, cela valait tous les mots. Antoine le perçut, n'insista pas, et emprunta une direction plus légère :

« Vous avez un lien avec la galerie Perrotin ? Emmanuel est-il de votre famille ? demanda-t-il.

— Non, pas du tout. Ma famille ne connaît rien à la peinture.

— Alors… d'où vient votre vocation ?

— Une visite dans un musée… Mais après coup je ne suis pas certaine que cela ait vraiment débuté ce jour-là. C'était déjà en moi, je crois. Pardon, je ne sais pas si je suis claire.

— Je vous comprends très bien.

— Et vous ?

— Quoi ? Comment j'en suis venu à enseigner l'histoire de l'art ?

— Oui.

— Par hasard aussi. Je ne sais pas comment est venu mon amour de la peinture. Le simple plaisir de me promener dans les musées, un peu comme vous, je crois bien. Fuir une adolescence compliquée. C'étaient les endroits qui m'apaisaient le plus.

— Oui, la beauté apaise… », fit Camille avec une gravité subite.

Ils s'arrêtèrent sur cette phrase un instant, comme si le silence permettait à une pensée de s'incarner.

*

Ils continuèrent à parler un long moment de leurs peintres préférés, de l'art contemporain, des meilleures galeries de Lyon. Camille finit par demander :

« Vous avez un lien avec Romain Duris ?

— Non, aucun.

— Cela nous fait un point commun alors », répondit-elle avec un sourire.

*

Ils quittèrent le café, et se retrouvèrent dans la rue. Il y eut un instant de gêne. Ils ne s'imaginaient pas en train de se faire la bise. Finalement Antoine posa furtivement une main sur l'épaule de Camille. Ce serait leur seul contact. Il repenserait à ce geste. Il y repenserait souvent. C'était un geste fraternel, dont pourrait naître une amitié sûrement.

29

Antoine rentra chez lui, et continua de penser à Camille. Quelle jeune femme incroyable. Pendant l'heure passée avec elle, il avait tout oublié. Certaines personnes ont le pouvoir de vous fixer entièrement, totalement, dans une dévotion du présent. Il avait hâte de voir ce qu'elle deviendrait. À un moment de leur conversation, il lui avait dit : « Je crois en vous. » Elle avait paru particulièrement troublée par cette phrase. « Il croit en moi », se répéterait-elle, et cela lui donnerait la force d'aller plus loin encore.

La nuit avançait, Antoine avait des devoirs à corriger. Régulièrement, il faisait commenter un tableau à ses élèves. Il attendait d'eux une forme de pertinence dans le propos mais aussi la maîtrise des éléments historiques contextualisant l'œuvre. Il se retrouva avec une vingtaine de copies, et c'était justement la classe de Camille. Il commença par elle, bien sûr. C'était étrange, maintenant qu'il avait le sentiment de la connaître un peu plus. Il ne lui était jamais arrivé de prendre un verre avec un élève dont il aurait à corriger la copie le soir même. Il entamait sa lecture avec un regard plus que favorable. Et c'est justement pour cette raison qu'il serait sûrement un peu plus dur dans sa notation. Leur évidente connivence ne devait altérer en rien sa neutralité. Finalement, il était sans doute préférable de ne pas trop fréquenter les étudiants, pour éviter de se retrouver dans de telles situations.

Sans réelle surprise, il fut impressionné par la qualité d'analyse de Camille. Elle écrivait bien, son style était fluide et précis. Il s'agissait d'évoquer un tableau d'Edvard Munch : *Tête d'homme dans les cheveux d'une femme*. Elle parla du peintre norvégien, de sa folie et de ses névroses, on aurait pu croire qu'elle évoquait un lointain cousin. Mais dans la dernière partie de son exposé, elle se mit à évoquer tout autre chose, avec notamment une longue digression sur Salvador Dalí. Un propos intéressant, mais sans véritable lien avec l'analyse attendue. Antoine finit par inscrire en marge l'annotation suivante : « Brillant mais hors sujet ». Et instinctivement, sans y mettre une quelconque intention, par habitude, il souligna l'expression « hors sujet ».

Il était toujours difficile pour un esprit artistique de se laisser enfermer dans un exposé à thèse, antithèse, synthèse. Il comprenait parfaitement pourquoi elle était partie dans d'autres sphères, les œuvres étant reliées les unes aux autres, comme si l'histoire de la peinture n'était pas une succession de périodes distinctes. Camille n'était tout simplement pas faite pour se laisser encercler dans une seule énergie, fût-ce celle d'un génie norvégien.

30

De son côté, elle passa la soirée à dessiner. Elle exécuta un croquis où l'on pouvait la voir les bras levés vers le ciel. Puis, elle écrivit le titre en plein milieu du dessin : « La fin de la culpabilité ».

Elle s'arrêta un long moment sur ces mots. Elle s'était toujours considérée comme coupable du viol qu'elle avait subi, sentiment absurde et déraisonnable, mais elle se libérait subitement d'un poids supplémentaire. Pour la première fois, elle admit qu'elle n'avait eu aucune responsabilité dans le drame qui l'avait abattue. Aurait-elle dû agir autrement ? Pourquoi s'était-elle habillée de cette manière ? C'était fini maintenant. Elle se savait victime, et uniquement victime. Et cela la rendait combative. Elle se dit qu'elle pourrait porter plainte, que peu importaient les représailles. À vrai dire, elle mettait de plus en plus en doute la solidité des menaces de son bourreau. Il avait exercé sur elle une pression psychologique pour qu'elle se taise, mais l'erreur de sa mère dont il lui avait parlé lui paraissait maintenant improbable. Elle se mit à songer concrètement à ce qui se passerait si elle allait à la police. Elle devrait tout expliquer, donc tout revivre. Il y aurait une confrontation. Elle serait obligée de se retrouver face à lui sûrement. Et il nierait. Il l'accuserait de mentir. Certains peut-être le croiraient, lui. Pourrait-elle le supporter ? Elle était en train de se reconstruire, loin de ce cauchemar. Elle luttait chaque jour pour cela, alors pourquoi y retourner ? Quelques minutes auparavant, elle se sentait une telle force, et voilà que la fragilité revenait, la fragilité et le dégoût.

Cela ne finirait donc jamais.

Le mal appelait le mal dans un écho incessant de la noirceur. Yvan fit une nouvelle apparition dans sa vie. Le professeur emmenait sa classe visiter les Beaux-Arts. Une exposition mettait en avant les premiers travaux de certains artistes. Comment commence-t-on à peindre ? Reconnaît-on d'emblée ce qui sera la tonalité d'une voix artistique ? Yvan trouvait que c'était une bonne idée de confronter des lycéens à toutes ces naissances. Montrer que tout le monde débute, cela permet d'une certaine façon à chacun d'y croire pour soi-même. Ils déambuleraient dans la grande salle, puis ils iraient approfondir le sujet en bibliothèque. Cette sortie ferait peut-être éclore quelques vocations, pensait-il.

C'est à la toute fin de la journée que Camille croisa le groupe. Elle n'aperçut pas tout de suite Yvan, mais fut attirée par cette foule si jeune. Elle en perçut l'insouciance instinctivement, et repensa à ses sorties lycéennes ; elle se souvint du moment où elle s'était trouvée face au tableau de Géricault. Et c'est à cet instant précis qu'elle le vit, bouffi et en sueur, jouissant de son petit pouvoir d'adulte en intimant à tel élève de faire ceci ou cela. Oui, c'était lui. Elle aurait pu le reconnaître au milieu d'un stade bondé, lui qui hantait ses visions et son âme, il était là. Il la reconnut lui aussi immédiatement et ne parut pas surpris. Il devait savoir qu'elle étudiait ici ; à vrai dire, il avait secrètement espéré la croiser, et le hasard avait joué en sa faveur. Une fois près d'elle, il dit simplement : « Bonsoir, Camille. » Une politesse qui prenait l'allure d'une gifle. Elle demeura stupéfaite. Il continua son chemin, s'avançant vers la sortie, entouré d'élèves, et notamment de jeunes filles. Elle voulut crier, mais c'était une vague de silence qui s'abattait sur elle.

Elle tenta de s'apaiser, de ne pas ressentir de fureur contre ce signe morbide du destin. Peut-être fallait-il y voir un symbole positif, une façon de clore l'horreur. Sa psychologue lui dirait ça, à coup sûr. Mais non, non, ce n'était pas ça. C'était la perfidie incessante de la vie qui s'acharnait contre elle, précisément au moment où elle sortait enfin la tête de l'eau. Il y avait une force qui continuait à se moquer d'elle et de sa souffrance. Elle ne voyait que cette possibilité. Pourquoi lui infliger ça ? Pourquoi la mettre face à celui qui l'avait tuée ? Oui, il l'avait tuée. Elle n'était pas morte, mais elle ne vivait pas. Elle survivait. Quelle était la raison de cette saloperie de hasard ? Et lui, il avait paru si indifférent. Il n'avait pas semblé hanté par ce qu'il avait fait, pas la moindre ombre sur son visage. Il n'avait pas semblé craindre qu'elle le dénonce non plus. Avait-il oublié ? Son bonsoir avait été si doux. Était-il possible d'oublier un tel crime ? Ces minutes inoubliables pour elle semblaient avoir été effacées pour lui. L'injustice continuait à être injuste.

Elle rentra chez elle, tremblante. Elle posa son sac sur la table. Elle y chercha les anxiolytiques prescrits par Namouzian, mais ne les trouva pas. Elle sortit alors de son sac la copie rendue par le professeur Duris. Il avait eu l'air si gêné de lui indiquer qu'elle était passée à côté de son sujet. Mais c'était la vérité. La stricte vérité. Penser à lui la calma un peu. Elle se mit même à relire son travail pour occuper son cerveau, le divertir du pire. Elle ne savait plus pourquoi elle était partie si loin du sujet principal. Pendant la moitié de son devoir, elle oubliait complètement Munch. C'était sans doute ce qu'on appelait avoir l'esprit d'escalier. Cela correspondait si bien à sa nature : elle cherchait à s'échapper sans cesse. Sa pensée était vagabonde. Cette pensée qui nous permet justement d'échapper à nos pensées.

31

En entrant dans sa classe le lendemain, Antoine constata immédiatement que Camille n'était pas là. Il s'installa derrière son bureau. Habituellement, il commençait aussitôt son cours, mais là, il avait envie de l'attendre. Comme un acteur qui ne veut pas jouer tant que sa spectatrice préférée n'est pas dans la salle. Il y fut néanmoins contraint car elle n'arrivait pas. Peut-être avait-elle peint toute la nuit ? Oui, ça devait être ça. Elle lui avait dit que ses cours commençaient trop tôt. Voilà, c'était sûrement ça. Pourtant, elle avait dit ne jamais vouloir les manquer. Il y avait peut-être autre chose. Antoine était en train de parler des danseuses de Degas, et alors que son esprit devait être léger et virevoltant, il sentit un poids s'installer progressivement dans son cœur. Minute après minute, l'angoisse s'empara de lui. Pour la première fois de sa carrière, il vécut les derniers instants de son cours tel un supplice.

Dès la sonnerie, le professeur sortit rapidement de la salle. Au lieu d'aller vers l'amphithéâtre, il se dirigea vers le secrétariat de l'établissement. Il croisa Sabine, et fut presque surpris de son existence tant son esprit était ailleurs. Hanté par le malaise d'une intuition. Il demanda les coordonnées de Camille à une employée de l'administration. Il prononça son nom, mais la femme face à lui entendit mal, et répéta : Perruchon. Non, Perrotin. Elle finit par trouver la fiche, et Antoine nota le numéro. Il ne voulait pas l'appeler là, ici, devant tout le monde. Il quitta l'accueil, chercha un endroit calme, finit par se positionner sous un escalier, là où personne ne passait. Il composa le numéro. Camille était sur messagerie. Il tenta de l'appeler à nouveau, et encore une fois il entendit sa voix proposant de laisser un message. Il hésita, il hésita plusieurs secondes, et finit par raccrocher sans parler.

QUATRIÈME PARTIE

1

Antoine était submergé par l'émotion. Mathilde hésita à s'approcher, à se placer tout contre lui, mais elle décida finalement de le laisser seul dans son recueillement. Il n'y avait personne dans le cimetière à cette heure. Tout concourait à imprégner chaque seconde d'une mélancolie totale. Il balbutia quelques paroles indiscernables, puis s'abaissa pour replacer sur la pierre tombale des roses fanées qui avaient été balayées par le vent. On pouvait voir quelques mots, ici ou là. Il y avait également une plaque portant cette phrase sobre : « Nous t'aimons pour toujours. » Elle n'était pas signée, mais elle venait sûrement de ses parents.

Au bout d'un moment, Antoine éprouva une forme de soulagement. Depuis des semaines, il avait vécu le cœur étouffé. Il se savait prêt maintenant à affronter ce qu'il avait éprouvé. Malgré la tristesse qui l'envahissait, il trouvait à cet instant les prémices d'une force qui ne faiblirait pas. Régnait toujours dans son esprit une immense confusion émotionnelle, mais ici naissait aussi quelque chose de beau. Il promit à Camille qu'il reviendrait souvent, que jamais elle ne manquerait de fleurs. Il posa sa main sur ses lèvres, accompagna ce baiser en touchant la tombe du bout des doigts.

Antoine finit par rejoindre Mathilde. Il ne savait que dire. Cela n'avait aucune importance ; elle n'attendait pas d'explication. Elle l'aurait suivi jusqu'au bout du royaume de l'incompréhension. Elle voulait le soutenir, être simplement là, près de lui. À vrai dire, en cet instant, c'était plutôt Antoine qui avait besoin de parler. Il éprouvait la nécessité de livrer enfin tout ce qu'il avait retenu. Ils longèrent les tombes en lisant ici ou là les noms des morts. Ces ombres du passé faisaient renaître la parole ; cet endroit représentait l'injonction par excellence de la vie. Ils quittèrent le cimetière pour se diriger vers la voiture. Au bout d'un moment, Mathilde demanda :

« On va où ? Tu veux qu'on aille dans un café ?

— Non. Restons dans la voiture. »

2

Il se mit à raconter. Toute la matinée, il n'avait cessé d'appeler le numéro de Camille. En vain.

Il ne partagea pas son inquiétude avec d'autres, conscient qu'elle semblerait démesurée, mais il sentait que quelque chose de grave s'était produit.

À l'heure du déjeuner, il décida de se rendre chez elle. Il commanda un taxi, qui le déposa au pied de l'immeuble. Il chercha son nom sur les boîtes aux lettres, mais il n'était sur aucune d'elles. Sans doute sous-louait-elle une chambre de bonne ou vivait-elle en colocation, comme nombre d'étudiants des Beaux-Arts. Il n'y avait pas de gardien. Que faire ? Il resta un instant immobile dans le hall. Quelqu'un allait bien passer, le renseigner. Non, le mieux était de monter, de frapper à toutes les portes. Mais si Camille allait bien, elle prendrait peut-être très mal cette irruption chez elle ; il avait bien vu, lors de leur conversation, qu'elle n'aimait pas trop qu'on empiète sur son intimité. Il était préférable qu'il reparte.

Mais Antoine demeurait figé dans le hall de l'immeuble. Dans la valse incessante de son hésitation lui revinrent en mémoire tous les indices de la fragilité de son étudiante. Une fragilité brouillée par les derniers jours où elle était apparue sûre d'elle, et pleine de vie. Mais l'autre Camille, celle qu'il avait observée pendant des semaines, n'était pas du tout pareille. Il avait constaté tant de fois que cette jeune fille était infiltrée par la tristesse ou l'absence. Toujours seule, introvertie, parfois plus une ombre qu'une vie, elle était le genre de fille pour laquelle il fallait s'inquiéter si elle venait à disparaître quelques jours. Alors, voilà, son sentiment était tout de même un peu fondé. Mais elle n'avait été absente qu'une matinée. N'était-il pas prématuré de s'en faire autant ? Antoine était perdu entre son intuition et la réalité. Si elle descendait maintenant (ce qu'il espérait tant), elle se moquerait de son angoisse démesurée. Ou pire, elle le trouverait bizarre. Une sorte de psychopathe qui se pointait chez elle dès qu'elle ne répondait pas au téléphone. C'était si loin de lui. Louise l'avait même quitté à cause de ça, cette façon qu'il avait de ne jamais s'investir complètement dans la vie de l'autre, de rester en surface, de vivre en rêveries, alors pourquoi était-il là, oppressé par la peur et le pressentiment ?

La vérité allait apparaître maintenant.

Il fallait attendre encore un tout petit peu.

Juste quelques pas.

Une dizaine de pas, pas plus.

Un, deux, trois.

Une femme qui se dirigeait vers l'immeuble.

Quatre, cinq, six.

Une voisine qui savait la vérité.

Sept, huit, neuf.

Elle ouvrit la porte, pour faire face à un Antoine immobile.

Dix.

« Est-ce que je peux vous aider ? demanda-t-elle.

— Je cherche une jeune fille qui habite ici. Mais son nom n'est pas sur la boîte aux lettres.

— Vous cherchez Camille ? dit alors l'inconnue d'un air subitement grave.

— Oui, c'est ça.

— Vous êtes de la famille ?

— Non, je suis son professeur aux Beaux-Arts.

— Je suis désolée, monsieur…

— Quoi ?

— Elle… elle s'est jetée hier soir du dernier étage. »

3

Antoine ne fut pas en mesure d'assurer ses cours de l'après-midi. Il rentra chez lui, hagard. Son appartement ne lui semblait plus composé de murs droits et identiques. Sa vision hésitante rendait tout incertain. Pour ne pas tomber, il finit par s'allonger sur son lit. Il ressassait sans cesse la nouvelle, ce n'était pas possible, pas Camille, non. Il ne pensait qu'à l'horreur de son corps écrasé sur le sol. Le sang qui avait dû couler sur le trottoir. Qui avait entendu le premier le bruit du choc ? Quelqu'un avait-il crié ? Tout l'obsédait. La veille encore, elle était là, assise dans sa classe. Quelques heures après, elle était morte. On ne pouvait pas mourir comme ça. On n'avait pas le droit, voilà ce qu'il se disait dans la succession épuisante de ses pensées. Il y avait forcément eu un choc pour partir ainsi, dans une brutalité si éclatante. Antoine imaginait une pulsion, quelque chose d'incontrôlable, il faut sauter, en finir, c'est tout de suite, il n'y a pas d'alternative.

Quelques jours auparavant, elle était là, avec lui, montrant ses œuvres avec fierté ; elle était là, pleine de vie et d'avenir. Elle était là, avec lui, au café, pleine de vie et d'avenir. Il avait effleuré son épaule, et maintenant tout était fini. Il n'y aurait plus jamais d'épaule à effleurer. Ce n'était pas possible. Il n'avait rien vu, rien pressenti. Enfin, non, ce n'était pas la vérité. Il avait décelé la fragilité de Camille. Tout le monde en était conscient. Elle transportait un gouffre qu'elle essayait de cacher sans y parvenir ; oui, on le voyait bien. Mais les choses avaient changé ces derniers jours. Il n'était pas fou. Cela avait changé. Elle était intervenue en classe. Elle avait voulu lui montrer ses tableaux. Elle avait parlé de ses projets. Elle était pleine de vie et d'avenir. Il n'était pas fou. Elle avait l'air de vouloir peindre, et peindre encore, on percevait chez elle les débordements de la création, alors non, ce n'était pas logique, ce n'était pas possible qu'elle ait pu décider de mourir comme ça, si brutalement, elle qui était si pleine de vie et d'avenir. Non, ce n'était pas possible. Il s'était forcément passé quelque chose.

Voilà la phrase qu'Antoine ne cessait de répéter. Il s'était forcément passé quelque chose. Et c'est au cœur de cette litanie sinistre que lui revint un fait. Un élément qui lui apparut comme l'acte ultime qui avait précipité la chute de l'étudiante.

C'était de sa faute. C'était lui le responsable. Il lui avait rendu sa copie, et il avait souligné les mots « hors sujet ». Cela ne pouvait être que ça. Comment expliquer autrement l'enchaînement des événements ? Il lui avait remis un devoir en soulignant « hors sujet » et trois heures après elle se jetait par la fenêtre. Trois heures après, elle devenait hors sujet.

Il peinait à respirer. Il se leva, et se mit à tourner dans son salon, comme un fou. C'était lui le responsable. Cela ne pouvait être que lui. Comment avait-il pu être si inconséquent ? Il savait la fragilité de cette fille. Il savait que son avis comptait énormément à ses yeux, et voilà que subitement, après l'avoir encensée, après lui avoir dit « je crois en vous », il lui avait balancé en pleine figure qu'elle était « hors sujet ». À coup sûr, elle avait reçu cette annotation comme une trahison. Ils s'entendaient si bien tous les deux. Il n'avait jamais pris de café avec aucune de ses élèves ; et pour elle, c'était pareil, elle l'admirait ; oui, elle le lui avait dit clairement. Elle avait dit « vous êtes une réelle inspiration pour moi », et il l'avait humiliée d'un coup. Il avait créé du désastre. C'était certain qu'elle l'avait ressenti comme ça ; cela ne pouvait pas être autrement. Il se repassait sans cesse le film des événements, et il ne voyait que l'éclatante vérité en trois actes : elle était redevenue joyeuse, puis il lui avait dit qu'elle était hors sujet, et ensuite elle se tuait. Comment ne pas voir le lien ? Existe-t-il expression plus terrible que celle-ci ? « Hors sujet », cela veut dire qu'on est exclu de soi-même. Nous sommes un sujet, et subitement on ne veut plus de vous. Le hors-sujet, c'est la mort.

Vrai ou faux, fondé ou non, à partir du moment où il s'était persuadé du lien entre son annotation et le suicide de l'élève, Antoine ne pourrait plus faire marche arrière vers une autre hypothèse, une autre vérité. Ce n'était plus une interrogation à ses yeux, c'était une certitude absolue. De toutes les façons, le suicide d'un proche ne peut que renvoyer à la culpabilité. Pourquoi n'a-t-on pas vu ce qui se tramait dans la sentinelle de l'horreur ? Aurait-il fallu agir différemment ? Prononcer quelques paroles consolantes qui auraient sauvé une âme peut-être non encore condamnée ? Ce sentiment de la responsabilité du « hors sujet » accompagnait celui, bien plus vaste, des survivants consternés et hagards face au naufrage qu'ils n'ont pas vu venir. Antoine entra alors corps et âme dans l'obsession de sa culpabilité. Sa souffrance allait se révéler si puissante qu'il laisserait progressivement place à un homme mort à l'intérieur de lui.

Quelques jours plus tard, il n'eut pas la force d'aller à l'enterrement. Aussi étrange que cela puisse paraître, après la première demi-journée d'absence, il assura ses cours pendant presque deux semaines, sans que personne ne se rende compte de son état. Il traversait les heures d'une manière mécanique, robotique, sans humanité. En classe, il lançait des regards vers la place habituelle de Camille. Personne ne pouvait imaginer ce qu'il traversait. Il voyait l'école vivre à nouveau, à peine égratignée par l'horreur du suicide d'une de ses étudiantes. Il y avait bien sûr eu des mines attristées sur les visages les premiers jours, mais cela avait duré si peu. On survole si vite les drames.

Quand Antoine avait décidé de fuir, personne n'avait fait le lien avec le suicide de Camille. Patino, surpris, avait tenté d'en savoir un peu plus sur les raisons de son départ. Le professeur avait alors évoqué un projet de roman qui ne pouvait pas attendre. La vérité était tout autre. Son corps brûlait à l'intérieur. Seule la beauté pouvait le sauver.

4

Mathilde prit la main d'Antoine. Il avait raconté sans s'arrêter, dans la voiture stationnée près du cimetière. Il parla encore un peu de Camille, de son talent, du café qu'ils avaient pris ensemble. Avec beaucoup d'émotion dans la voix, il énonça :

« J'avais la certitude que son avenir serait brillant. Cela semble absurde, maintenant.

— Non, tu as raison. Il est évident que cette fille était très douée.

— …

— Antoine, je n'y crois pas à ton histoire de commentaire qu'elle aurait mal pris. Ce que tu m'as raconté d'elle montre bien qu'elle était habitée par des démons terribles. Tu ne pouvais rien faire. Je crois même au contraire que ton attitude, ta bienveillance, ont été ses derniers grands bonheurs. J'en suis certaine. »

Antoine ne répondit rien. Sa gorge se serrait face à ces mots de consolation. Mathilde reprit :

« Tu ne peux pas rester ainsi.

— Je sais.

— Que vas-tu faire ?

— Je crois que j'aimerais aller voir ses parents. Peut-être qu'ils pourront me confier quelques dessins. On pourrait lui rendre hommage à l'école.

— C'est une très bonne idée », s'enthousiasma Mathilde.

Antoine fut heureux de sa réaction. Il doutait de tout, et avait besoin comme d'une validation de ses idées. La présence de cette femme changeait tout. Sans elle, il n'aurait jamais pu faire ce chemin. Malgré sa détresse, il n'avait cessé de prendre les bonnes décisions, d'Orsay à Mathilde, pour arriver là où il devait être : devant la maison de Camille.

Mathilde avait trouvé très facilement l'adresse sur Internet. Il avait suffi de rouler un peu moins de dix minutes. Antoine observa le pavillon, en imaginant le nombre de fois où Camille avait dû entrer et sortir par cette porte. Il imaginait ses trajets, elle avait laissé des traces de sa présence partout ; des traces concrètes avec ses œuvres, mais aussi immatérielles, comme l'air qu'elle avait inspiré puis expiré par exemple.

« Je t'attends dans la voiture ? demanda Mathilde.

— Non, vas-y. Tu peux partir.

— Tu es sûr ?

— Oui, je sais que tu dois récupérer tes enfants. Je vais m'en sortir.

— Vraiment ?

— Oui.

— Tu m'appelleras ce soir pour me raconter ?

— Oui, c'est promis. Fais attention sur la route... »

Antoine s'approcha alors de Mathilde et l'embrassa. Malgré le contexte douloureux, ce fut un baiser d'une grande beauté[1]. Il murmura : « Merci, merci encore pour tout », et quitta la voiture. Avant de démarrer, elle observa un instant la silhouette de cet homme qui lui plaisait.

1. Ou alors, c'était justement à cause du contexte douloureux que le baiser fut d'une grande beauté.

5

Antoine hésita avant de sonner à la porte du pavillon, et préféra finalement taper doucement. Tellement doucement qu'on aurait pu croire qu'il n'avait pas tapé, à vrai dire. Il dut s'y reprendre à trois fois pour produire un son audible. Isabelle se leva de son fauteuil. Depuis la mort de sa fille, elle restait des journées entières ainsi, prostrée. Ses amis venaient la voir, la famille aussi, car elle ne répondait plus au téléphone. On essayait de la faire parler, de lui demander ce qu'on pouvait faire pour elle, mais elle voulait être seule. Rien ne pouvait la divertir, rien ne pourrait l'apaiser. Son mari, lui, avait souhaité reprendre la route assez vite, « pour se vider la tête » comme il avait dit. Isabelle trouvait folle cette expression. Comment peut-on se vider la tête quand elle est encombrée du suicide de son enfant ? À part en s'abrutissant de cachets, il n'y aurait aucune seconde où elle pourrait échapper à la terrible réalité. Elle hésitait parfois à retourner à l'hôpital, s'étourdir de la douleur des autres pour atténuer un peu la sienne. Mais c'était vain. Il n'y avait pas de solution. Il n'y avait pas d'issue.

Isabelle découvrit sur le seuil de sa porte un homme long et fin qui paraissait presque se fondre dans le ciel gris en arrière-plan. Elle ne lui demanda pas ce qu'il voulait, elle attendait qu'il se présente, autant dire que le silence entre ces deux humains pouvait être interminable. Antoine finit par dire : « Je suis vraiment désolé de vous déranger. Je suis Antoine Duris, le professeur d'histoire de l'art de... » Il coupa sa phrase, dans l'incapacité de prononcer le prénom de Camille.

Quelques instants plus tard, ils buvaient un café dans le salon. Alors qu'Isabelle ne supportait pas les visites, celle d'Antoine semblait lui faire du bien :

« Camille m'a souvent parlé de vous. Elle vous appréciait tellement.

— C'était... réciproque. »

Antoine devint blême à cet instant. Il voulut parler du « hors sujet », avouer son sentiment de culpabilité, mais il n'eut pas le temps de le faire. Isabelle se mit à raconter ce qui s'était passé :

« Elle était désespérée, et nous n'avons jamais su l'aider. J'ai tout fait pour qu'elle parle, mais cela n'est jamais sorti. Et je n'ai pas su comprendre l'ampleur du drame.

— ...

— Camille a été violée à l'âge de seize ans. Nous avons retrouvé chez elle une longue lettre qui racontait tout. »

Isabelle s'arrêta un instant, avant de reprendre le récit de la tragédie. Camille n'avait pas laissé de véritable lettre testament pour expliquer son geste, mais c'était le long récit de son calvaire. Le texte que le docteur Namouzian lui avait suggéré d'écrire. « Cette femme a été extraordinaire », précisa Isabelle. Elle était d'ailleurs allée la voir plusieurs fois en consultation. Cela avait aussi été une façon de se rapprocher de sa fille. Et puis, à des degrés différents, elles partageaient une même douleur. La psychanalyste avait été profondément choquée par la mort de Camille. Elle aussi ne pouvait s'empêcher de penser qu'elle aurait dû trouver les mots ou les gestes pour la sauver.

Tout était écrit dans la lettre de Camille. Le nom du criminel, la façon dont il avait agi, et la pression qu'il avait exercée sur elle par la suite. L'horreur était décrite calmement, sans la moindre agressivité, sans la moindre émotion même, juste les faits, les faits évoqués avec une froideur extrême. Isabelle en lisant la lettre en avait eu des nausées, puis s'était mise à vomir. Tout lui revenait en mémoire. Le mercredi fatal, et comment tout avait basculé à partir de ce moment-là. Comment avait-elle pu ne pas comprendre ? Et puis, bien sûr, la terrible culpabilité : tout était de sa faute. Elle l'avait précipitée dans les griffes du démon. Elle avait organisé la rencontre avec l'assassin de sa fille. C'était bien trop à supporter pour une mère.

Thierry, de son côté, était entré dans une rage terrible. Il avait aussitôt voulu aller se venger. Cette ordure allait payer, il allait souffrir. Le père de Camille s'en foutait des conséquences, il pourrait passer le reste de sa vie en prison pour apaiser l'âme blessée de sa fille. Isabelle, à bout de forces, parvint pourtant à l'en dissuader. Elle ne pourrait pas supporter de se retrouver seule. Il fallait porter plainte. La lettre serait suffisante. Devant la détresse de sa femme, Thierry renonça à son projet.

Au milieu des démarches de préparation des funérailles, Isabelle et Thierry allèrent ensemble au commissariat. Yvan fut interpellé le jour même, à la sortie de son établissement. Il ne demanda même pas le motif de l'arrestation. Il avait appris le suicide de Camille. Quelques minutes plus tard, alors qu'il aurait pu nier les accusations portées contre lui, il avouait tout. Et précisait qu'il avait croisé Camille une dernière fois, quelques heures avant son suicide. Par hasard, oui, c'était le hasard, avait-il répété plusieurs fois dans une litanie fiévreuse. Devant des policiers stupéfaits, il finit même par ajouter : « J'ai aussi abusé de Mathilde Ledoux. » C'était une élève de seconde qui, elle non plus, n'avait jamais porté plainte. La police alla l'interroger le soir même, et elle éclata en sanglots devant ses parents médusés. Depuis quelque temps, ces derniers s'étaient inquiétés de constater qu'elle n'était plus tout à fait la même. On retrouva également une première plainte contre le violeur. À Paris, vingt ans auparavant, et qui l'avait contraint à quitter la capitale. Il fut incarcéré aussitôt.

Sabine voulut le voir, mais Yvan refusa la visite. Il n'avait pas la force d'affronter le regard de sa femme. Il allait rester de nombreuses années en prison. Il avait avoué si vite que cela laissait encore davantage de regrets aux parents de Camille. Le bourreau de leur fille avait inventé une histoire d'erreur médicale ; si seulement elle avait pu parler, tout leur dire, tout dire à la police. Si seulement. Il aurait avoué, comme il venait de le faire. Il y aurait eu un procès. Et la jeune fille, reconnue dans son statut de victime, aurait sans doute pu se reconstruire. Si seulement. Les scénarios de ce qui n'avait pas existé repassaient sans cesse dans la tête d'Isabelle.

Antoine avait écouté son récit avec stupéfaction. Il était face à la douleur d'une femme qui allait vivre avec la culpabilité qu'il s'était attribuée. Il devait l'aider ; il savait à quel point ce poids ancré dans le cœur vous empêchait d'avancer. Il murmura qu'il fallait vivre pour Camille. Isabelle n'avait pas entendu. Il répéta : « Il faut vivre pour Camille. » Oui, c'était facile à dire. Mais à quoi bon ? Bientôt, Antoine expliquerait à Isabelle ce qu'il envisageait de faire. Et pour cela, il fallait tous les vivants. Il fallait tous ceux qui avaient aimé Camille, car elle revivrait d'une certaine manière.

Isabelle avoua que cela lui faisait du bien de parler avec Antoine. C'était pareil pour lui. Elle ajouta : « Vous savez... la femme du violeur, c'est ma meilleure amie. Elle est effondrée. Tout le monde la regarde comme une pestiférée. Eh bien, on se parle quand même. J'ai de la pitié pour elle... » Tout paraissait si compliqué, choisir sa place entre les erreurs et l'horreur, choisir de mourir ou de survivre, les errances se croisaient. Là encore, Antoine hésitait. Devant le désarroi de cette femme, il se sentait impuissant. Il finit par se lever et s'approcher d'elle. Il effleura son épaule, tout comme il avait effleuré celle de sa fille ; par ce geste identique, sans doute la vie pourrait-elle continuer.

ÉPILOGUE

Le jour où Antoine avait rencontré Isabelle, elle lui avait montré la chambre de son élève. Il avait essayé d'imaginer toutes les versions de Camille ici. Bébé, petite fille, adolescente ; toute une vie se recomposait dans ce décor inamovible. Il s'approcha du chevalet. Les couleurs, dans les tubes, n'étaient pas encore sèches. Cela lui serra le cœur. Le week-end, elle aimait venir chez ses parents, et peindre. Il se trouvait face à un tableau inachevé, et personne ne pourrait jamais savoir dans quelle direction serait allée cette œuvre. La mort arrêtait aussi la lumière des inspirations.

Il s'avança vers une grande malle en osier posée au sol. Il l'ouvrit et en tira des dizaines de gouaches qu'il jugea merveilleuses. Il passa presque deux heures à les détailler, interrompu seulement à un moment par Isabelle qui demandait s'il avait faim. Non, il ne voulait pas manger. Non, il ne voulait rien. Juste rester avec les dessins de Camille. Il avait toujours senti sa particularité, et ce qu'il avait vu à son atelier l'avait émerveillé déjà, mais là, peut-être plus encore en la sachant disparue, il était ébloui. Il eut la surprise, le choc, de se reconnaître. Elle l'avait dessiné ; il en fut bouleversé. Leur lien avait été aussi éphémère que puissant, marqué par cette intensité rare des grandes rencontres.

Le lendemain, il appelait le directeur des Beaux-Arts pour lui dire qu'il était revenu, et qu'il reprendrait bientôt les cours s'il l'y autorisait. Patino accueillit cette nouvelle avec enthousiasme. À vrai dire, Antoine l'appelait avant tout pour organiser le transfert des œuvres laissées par Camille à l'atelier. Ses parents n'avaient pas le courage de s'en occuper. Le chef d'établissement, avec élégance, promit de prendre en charge le transport. Isabelle ne savait comment remercier Antoine. Ensemble, ils passèrent plusieurs journées à classer les dessins, leur cherchant une cohérence narrative. C'était impressionnant de voir tout ce que Camille avait produit en si peu de mois. Sa mère n'en revenait pas : « Je l'entendais parfois la nuit, mais je ne pouvais pas imaginer… » Isabelle n'entrait presque jamais dans la chambre de sa fille ; c'était son territoire quand elle était en vie ; depuis sa mort le lieu était devenu comme tabou. Elle découvrait maintenant un terrain quasi inconnu, et qui prenait à ses yeux l'allure d'un pays magique.

Thierry rentra pour le week-end. Sa première impression fut plutôt négative. Il se demandait si cette façon de faire rejaillir le souvenir de Camille ne finirait pas par faire encore plus de mal à sa femme ; remuer le passé, se laisser bercer par l'illusion que leur fille était encore avec eux... Ne valait-il pas mieux essayer d'oublier ? Tout jeter, déménager, fuir le moindre détail susceptible de leur rappeler Camille. Pourtant, Isabelle semblait comme respirer à nouveau, et il finit à son tour par considérer Antoine comme une présence bienveillante. Ce professeur voulait rendre hommage à leur fille lors d'une grande soirée. Il voulait même qu'on baptise une classe de cours à son nom, pour que les générations à venir sachent qu'un jour avait existé Camille Perrotin. Mais la découverte des œuvres avait encore accru son ambition. Il voulait maintenant une grande exposition, dans une galerie de Lyon.

Antoine connaissait tout le milieu artistique de sa ville : il hésita entre plusieurs endroits où pourrait être exposée Camille, avant de pencher pour la galerie Clemouchka, située dans le quartier de la Croix-Rousse. Il entretenait de très bonnes relations avec Karine, la directrice. Connaissant sa sensibilité, il pensa qu'elle pourrait être intéressée. Il l'appela pour lui expliquer son projet, et effectivement elle eut envie d'en savoir davantage. Elle avait senti dans la voix d'Antoine comme le prélude à quelque chose d'important. Elle ne put s'empêcher de penser aussi qu'exposer une jeune fille de dix-huit ans qui venait de se suicider pourrait créer un intérêt médiatique. C'était toujours bien d'avoir une histoire derrière une œuvre.

À vrai dire, Karine oublia tout cela quand elle découvrit l'œuvre de Camille. Elle et son assistante, Léa, se déplacèrent au domicile des parents. Elles furent immédiatement conquises par l'intensité qui émanait des dessins. Karine y trouva assez vite une cohérence, lançant quelques idées à propos de l'exposition. « Vous voulez dire que vous êtes d'accord pour montrer le travail de... ma fille ? » finit par demander Isabelle en balbutiant. La directrice de la galerie Clemouchka avait oublié de préciser ce détail, tant cela relevait pour elle de l'évidence. Isabelle s'assit alors sur le lit de sa fille, submergée par l'émotion.

À partir de ce moment, les choses allèrent assez vite. Karine résolut même de décaler la prochaine exposition pour laisser place à Camille. Antoine accepta de s'occuper du projet en tant que directeur artistique. On rédigea une notice biographique, on fit imprimer un catalogue, et les invitations furent lancées. Pour l'enseignant, ce vernissage marquerait la fin d'une période très douloureuse ; et davantage encore sûrement. Il marquerait aussi le début d'une nouvelle ère. Symboliquement, il souhaita convier les personnes qui comptaient pour lui. Dans la foule des invités, on apercevait ses parents, sa sœur. Il n'oublierait jamais l'incroyable ténacité, le soutien indéfectible dont elle avait fait preuve à son égard. Et puis, il avait convié Louise. C'était important qu'elle soit là. Elle avait simplement demandé : « Est-ce que je peux venir avec lui ? » Antoine avait accepté bien sûr, et il découvrit ce soir-là que Louise était enceinte. Elle avait été si inquiète de sa réaction :

« Je ne savais pas comment te le dire…

— Félicitations.

— Merci.

— Je suis heureux de te voir, enchaîna Antoine.

— C'est merveilleux, tout ce que tu as fait pour cette fille. Elle a un si grand talent.

— Je n'ai rien fait. C'est elle qui a tout fait.

— Oui.

— C'est un garçon ou une fille ?

— Une fille. »

Antoine lui adressa un sourire. Le compagnon de Louise s'approcha d'elle, passant une main autour de sa taille. Il énonça quelques éloges sur Camille, et ils partirent tous deux vers d'autres tableaux. Antoine ne la reverrait pas avant longtemps.

Il se mit alors un peu en retrait pour observer les invités. Les parents de Camille semblaient heureux. On ne cessait de les complimenter, comme s'ils étaient eux-mêmes l'artiste. Ils se tenaient par la main pour recevoir à deux les impressions enthousiastes du public. Sophie Namouzian était en train de leur dire qu'elle retrouvait toute la sensibilité de Camille dans son travail. Elle avait raison. Tout était ici à l'image de la jeune fille. Y compris le rythme. La soirée fila à une vitesse inouïe, elle touchait déjà à sa fin. Plusieurs personnes annoncèrent qu'elles reviendraient quand il y aurait moins de monde pour mieux profiter des œuvres. Karine et son équipe saluèrent les derniers visiteurs, puis elle s'avança vers Antoine pour lui laisser les clés. « Je te laisse fermer », lui dit-elle avec un sourire de connivence. Elle avait compris qu'après cette soirée Antoine aurait envie de rester un moment seul avec Camille.

Mathilde l'avait compris aussi. Pendant toute la soirée, elle était restée un peu à l'écart pour ne pas gêner Antoine. Depuis le jour où elle l'avait déposé chez les parents de Camille, ils s'étaient revus deux fois. Ils avaient assez peu parlé, et surtout fait l'amour. Ce vernissage lui paraissait être aussi un peu celui de leur histoire. Elle aimait cet homme, elle l'avait aimé dès le début. Elle lui fit un signe de la main qui voulait dire : « Je t'attends dans la voiture… » En la voyant quitter la galerie, il repensa fugitivement aux dernières semaines. Au bord du désespoir, il avait tout quitté. Seule l'intuition qu'il lui fallait aller travailler au musée d'Orsay lui avait permis de résister. Il s'était renseigné, avait noté le nom de la responsable des ressources humaines : Mathilde Mattel. Il se souvenait si bien de ce moment où il avait écrit ce nom. Mathilde Mattel. Maintenant, il comprenait que ce nom avait été comme un oracle qui annonce une possibilité de survie.

Antoine Duris se tenait maintenant seul au milieu de la galerie. Le ravissement, c'était bien le sentiment qui l'emplissait à cet instant. Il s'approcha d'un dessin qu'il aimait particulièrement. Un autoportrait de Camille. Il la regarda droit dans les yeux, lui chuchota quelques mots, tout comme il avait parfois parlé avec Jeanne Hébuterne. Il sentit alors un souffle passer près de son visage, comme une caresse.

DU MÊME AUTEUR

Aux Éditions Gallimard

INVERSION DE L'IDIOTIE

ENTRE LES OREILLES

LE POTENTIEL ÉROTIQUE DE MA FEMME (Folio nº 4248)

QUI SE SOUVIENT DE DAVID FOENKINOS ?

NOS SÉPARATIONS (Folio nº 5425)

LA DÉLICATESSE (Folio nº 5177)

LES SOUVENIRS (Folio nº 5513)

JE VAIS MIEUX (Folio nº 5785)

CHARLOTTE (Folio nº 6135). Prix Renaudot et Goncourt des lycéens 2014

LE MYSTÈRE HENRI PICK (Folio nº 6403)

VERS LA BEAUTÉ (Folio nº 6640)

DEUX SŒURS (Folio nº 6800)

LA FAMILLE MARTIN (Folio nº 7016)

NUMÉRO DEUX

Dans la collection « Livre d'Art »

CHARLOTTE, avec des gouaches de Charlotte Salomon (Folio nº 6217)

Aux Éditions Flammarion

EN CAS DE BONHEUR (J'ai Lu nº 8257)

CÉLIBATAIRES, théâtre

LA TÊTE DE L'EMPLOI (J'ai Lu nº 11534)

LE PLUS BEAU JOUR, théâtre

Aux Éditions Grasset

LES CŒURS AUTONOMES (Le Livre de Poche nº 32650)

Aux Éditions Plon

LENNON (J'ai Lu nº 9848)

Aux Éditions Albin Michel Jeunesse

LE PETIT GARÇON QUI DISAIT TOUJOURS NON, en collaboration avec Soledad Bravi

LE SAULE PLEUREUR DE BONNE HUMEUR, en collaboration avec Soledad Bravi

*Tous les papiers utilisés pour les ouvrages
des collections Folio sont certifiés
et proviennent de forêts gérées durablement.*

*Composition Nord Compo
Impression Novoprint
à Barcelone, le 22 mars 2022
Dépôt légal : mars 2022
1er dépôt légal dans la collection : mars 2019*

ISBN 978-2-07-282442-5 / Imprimé en Espagne

447035